¿Racismo en Cuba?

HERIBERTO FERAUDY ESPINO. Escritor, investigador y políglota. Graduado de Administración Pública y Licenciado en Ciencias Políticas por la Universidad de La Habana. Ha realizado varias tutorías y cursos de postgrado. Fue embajador de Cuba en Zambia y director de África y Medio Oriente en el Instituto Cubano de Amistad con los Pueblos.

Durante su estancia en África comenzó a investigar y escribir sobre la historia y los antecedentes de los hombres y mujeres africanas que arrancados de sus pueblos fueron a parar a tierras de América, particularmente en Cuba, Brasil, Trinidad y Tobago, Estados Unidos.

Entre sus obras se encuentran: *Yoruba. Un acercamiento a nuestras raíces, la Santería y el Palo monte*, *La Venus Lukumí*, *Macuá* y *De la africanía en Cuba*. Su literatura para niños incluye *Fabulosas fábulas* y *Fábulas del Señor Tortuga*.

12

¿Racismo en Cuba?

Heriberto Feraudy Espino

EDITORIAL DE CIENCIAS SOCIALES, LA HABANA, 2015

Edición: Liliam Rodríguez Berlanga
Diseño interior: Yadyra Rodríguez Gómez
Diseño de cubierta: Yuleidis Fernández
Corrección: Laura Herrera Caseiro
Composición digitalizada: Bárbara Alina Fernández Portal

ISBN 978-959-06-1608-2

Estimado lector, le estaremos muy agradecidos si nos hace llegar su opinión, por escrito, acerca de este libro y de nuestras publicaciones.

INSTITUTO CUBANO DEL LIBRO
Editorial de Ciencias Sociales
Calle 14, no. 4104, entre 41 y 43,
Playa, La Habana
editorialmil@cubarte.cult.cu

Índice

Prólogo
"Razas" y color de piel: Una reflexión desde la genética humana

"Si la miseria de nuestros pobres no es causada por las leyes de la naturaleza, sino por nuestras instituciones, grande es nuestro pecado", escribió Charles Darwin en su Voyage of the Beagle. *Esa frase vino a mi mente tras leer las reflexiones de los intelectuales entrevistados en este libro. Sus respuestas revelan disímiles formas de expresión de racismo en la sociedad cubana actual y sus fundamentos de origen y naturaleza diversa: históricos y culturales, pero también sostenido por condiciones materiales de vida que reproducen desventajas no superadas. Es un racismo que discrimina a las personas por su color de piel, es esencialmente un racismo antinegro. Reconocerlo y abordarlo en el espacio público es imprescindible para movilizar la conciencia social, donde habita muchas veces de manera subrepticia. Pienso como Martí que "Sobre lo verdadero hay que golpear. En lo caliente del hierro hay que dar. Con ir de espaldas a la verdad, de sombrero de pelo y bastón de oro, no se suprime la verdad".*[1]

Se trata sin dudas de un problema sumamente complejo, que se mueve en el entramado de las relaciones sociales. He aquí, como contribución al debate necesario, algunos apuntes desde la genética humana.

[1] José Martí: *Obras Completas*, t. 1, p. 451, Editorial de Ciencias Sociales, La Habana, 1975.

En el campo de las ciencias biomédicas no existe hoy consenso para explicar el concepto de "raza", palabra que definitivamente no tiene significado biológico, ni pueden definirse características físicas o aun genéticas que diferencien a los grupos humanos en "razas" sobre la base de evidencias científicas.

En medicina es común utilizar la palabra "caucásica" cuando se describe clínicamente a una persona de piel blanca ¿Cuánto sabemos, por ejemplo, del origen de esa categoría para clasificar a los individuos de piel menos pigmentada? ¿Por qué denominar a ese conjunto de personas con el nombre de un área montañosa ubicada en Rusia? Fue J. F. Blumenbach, naturalista alemán (1752-1840) y discípulo de Carolus Linnaeus, quien estableció en 1795 la más influyente de todas las clasificaciones raciales en el campo de la biología y de la evolución.[2] En su definición original citó dos razones para establecer la denominación racial de "caucásicos" para los europeos: la belleza máxima de los habitantes de esa pequeña región y la alta probabilidad de ubicar el origen de los humanos en esa área. La clasificación taxonómica final de Blumenbach dividió a los seres humanos en cinco grupos definidos por su origen geográfico y apariencia, en el siguiente orden: la "variedad Caucásica" para los individuos de piel clara de Europa y regiones adyacentes; la "variedad Mongol" para habitantes de Asia oriental incluyendo China y Japón; la "variedad Etíope" para personas de piel oscura habitantes de África; la "variedad Americana"para las poblaciones nativas del Nuevo Mundo y la "variedad Malaya" para Polinesios y Melanesios de las Islas del Pacífico y los aborígenes de Australia.

La adición de la "variedad Malaya" al sistema inicial de cuatro "razas" definido por Linnaeus[3] (taxonomía que consideraba

[2] J. F. Blumenbach: *A manual of the elements of natural history*, W. Simpkin and R. Marshall, Londres, 1825.

[3] C. Linnaeus: *Systemanaturae*, [s. n.], Stockholm, 1758.

además del origen geográfico los aspectos de color, temperamento y postura) y el establecimiento de un sistema jerárquico por "valor", fue su única añadidura. Estas clasificaciones taxonómicas estuvieron influenciadas por una predisposición psicológica y el contexto social y no escaparon al racismo universal de su tiempo. Ambos vivieron en una época en que las ideas de progreso y superioridad cultural de la vida europea dominaron el mundo político y social. En la clasificación de Linnaeus, seguramente resultaba más atractivo incluirse en el grupo de los "blancos, sanguíneos y musculares" como definió a los europeos, que en el de los "amarillo-pálidos, melancólicos y rígidos" de los asiáticos. No obstante haber realizado estas clasificaciones, ninguno de los dos investigadores pudo aportar elementos objetivos para delimitar las fronteras entre una y otra "variedad" o "raza" y Blumenbach reconoció explícitamente la imposibilidad de establecer límites entre los grupos. Explicó la diversidad humana como resultado de cambios "degenerativos", respecto a los humanos originales, acontecidos por la adaptación al clima y a otras topografías, así como por la adopción de hábitos y nuevos modos de vida, algo que según él ocurrió en la medida en que el hombre se "esparció" hacia otras regiones geográficas. La posición de Blumenbach en contra de la esclavitud y el hecho de construir una biblioteca personal dedicada a la obra de destacados escritores de piel negra de su época, así como haber reconocido la superioridad moral de los esclavos sobre la de sus captores al hablar de "su natural ternura de corazón, que no se modificó ni extirpó nunca a bordo de los barcos negreros, ni ante la brutalidad que en las plantaciones de azúcar practicaron sus ejecutores blancos", no minimiza las consecuencias racistas de su análisis geométrico superficial de las variaciones raciales, permeado por su propia percepción de la belleza relativa que priorizó en el pináculo de su sistema jerárquico de clasificación *un patrón estético con el ideal Caucásico como punto de partida.*

Los patrones de la variación humana basados en investigaciones genéticas

Un considerable número de personas continúa pensando que los grupos humanos poseen diferencias biológicas fundamentales entre sí. No pocos atribuyen a las variaciones externas en el color de piel, características faciales y formas del cuerpo, las diferencias en el carácter, temperamento o inteligencia. Se mantiene una controversia que busca dirimir si el concepto de "raza" es un constructo biológico o social.

Las investigaciones sobre las variaciones genéticas humanas emprendidas en los últimos 45 años, se han propuesto conocer si las diferencias fenotípicas entre grupos humanos pueden ser atribuidas a variaciones genéticas.

Los humanos son similares en alrededor de un 98,8 % a los chimpancés a nivel de los nucleótidos[4] que conforman la cadena de ADN. Se diferencian como promedio en 1 de cada 500-1000 nucleótidos en cada cromosoma.[5]

Todos los seres humanos son idénticos en 99,6 -99,8 % de su información genética a nivel de la secuencia de nucleótidos, 0,2-0,4 % base de la diversidad, abarca alrededor de unos 10 millones (de los 3 mil millones de pares de bases que conforman el genoma humano) de variantes en el ADN, que pueden a su vez ordenarse en un astronómico número de combinaciones posibles.

Es en las poblaciones africanas donde se evidencia hoy la mayor parte de las variaciones en el ADN. El resto posee apenas solo una pequeña fracción de la diversidad genética

[4] Nucleótidos: se refiere a las cuatro bases nitrogenadas (Adenina, Timina, Citosina y Guanina) que conforman en diferentes combinaciones la cadena de ADN.

[5] S. Tishkoff y K. Kenneth: "Implications of biogeography of human populations for 'race' and medicine", en *Nature Genetics Supplement*, 36(11): S21-S27, nov., 2014.

presente en África. Ello ha sido explicado por la ocurrencia de un "cuello de botella" en el momento de la expansión del ser humano fuera de África, hace unos 60 000 años y la deriva[6] *genética posterior. Ha llegado a estimarse que apenas unos 200 individuos salieron de África en el momento de dicha expansión*[7] *y que ese reducido número de personas se multiplicó en las diferentes regiones ocupadas tras abandonar*

[6] Deriva genética: es una fuerza evolutiva que actúa junto con la selección natural cambiando las frecuencias alélicas a nivel de los genes en el tiempo. Es un efecto estocástico. Ocurre una fluctuación al azar de las frecuencias alélicas entre generaciones que resulta del sorteo de genes que tiene lugar durante la transmisión de gametos de los padres para producir los genotipos hijos en poblaciones finitas. Si en algún momento durante esta conducta fluctuante uno de los alelos no llega a transmitirse a la siguiente generación, entonces este se habrá perdido para siempre. La consecuencia última de la deriva es la fijación de uno de los alelos en la población. La tasa de fijación es inversamente proporcional al tamaño de población, es decir, la tasa de fijación de alelos es más grande en poblaciones pequeñas. El resultado de la deriva suele ser la pérdida de variabilidad genética. Normalmente se da una pérdida de los alelos menos frecuentes y una fijación (frecuencia próxima al 100 %) de los más frecuentes, resultando una disminución en la diversidad genética de la población. Al igual que la selección natural, actúa sobre las poblaciones, alterando la frecuencia de los alelos y la predominancia de los caracteres sobre los miembros de una población, y cambiando la diversidad genética del grupo. Los efectos de la deriva se acentúan en poblaciones de tamaño pequeño (como puede ocurrir en el efecto de "cuello de botella" o el efecto fundador), y resultan en cambios que no son necesariamente adaptativos. Los alelos son las formas alternativas de un gen en una población dada.

[7] Nick Patterson, comunicación personal, 2015. Nick Patterson es *Senior* biólogo computacional del Programa de Genética Médica y Poblacional del Instituto Broad adjunto al *Massachusetts Institute* of Technology y a la Universidad de Harvard. Su trabajo involucra la aplicación de nuevas metodologías estadísticas al análisis de datos genéticos complejos enfocados a la genética humana y médica y a la comprensión de la evolución de los humanos modernos desde la época de los Neandertales.

el hábitat inicial, dando lugar a la población actual. Su evolución adaptativa para sobrevivir en los ambientes donde se establecieron, que incluye mutaciones en su información genética perpetuadas a través de la herencia y operadas bajo los mecanismos de la selección natural y de la propia deriva genética, explican en conjunto la similitud de características entre los grupos humanos actuales.

Múltiples fueron los cambios adaptativos que ocurrieron evolutivamente en el fenotipo[8] *y el genotipo*[9] *de los seres humanos a lo largo de ese período de tiempo. Su estudio es del mayor interés para la genética humana a fin de explicar los mecanismos de la evolución, el origen de las enfermedades y el papel de los genes y del ambiente. Varios de estos cambios han tenido lugar en los rasgos humanos que más se han asociado con las denominadas "características raciales", como son el color de la piel y de los ojos, las características morfológicas faciales y el color y textura del cabello. De ellos, es el color de la piel el que en la actualidad y en nuestro propio medio, se considera más significativamente para asociar a individuos con "razas". Obsérvense algunos documentos oficiales en nuestro país y podrá apreciarse que en no pocos, al recoger datos generales del individuo (nombres y apellidos, dirección particular, edad, carné de identidad, entre otros), aparece la palabra "raza" y a lo que se refiere propiamente es al color de la piel.*

[8] Fenotipo: Las propiedades observables de un organismo, incluyendo su morfología, fisiología y conducta a todos los niveles de descripción.

[9] Genotipo: El contenido genético de un organismo.
Se considera que el fenotipo es en parte la expresión visible del genotipo; el genotipo define el patrimonio genético del organismo y está compuesto por diferentes genes heredados. Sin embargo, el fenotipo puede estar fuertemente influenciado por el medio ambiente, por ejemplo: la piel puede oscurecerse bajo la influencia del sol. La alimentación también puede tener un impacto significativo en el fenotipo.

La pigmentación de la piel humana: medición, evolución y bases genéticas

La pigmentación es uno de los fenotipos más variables en los humanos. El color de piel, cabello y del iris de los ojos está determinado primariamente por la melanina, un término genérico utilizado para describir un complejo grupo de biopolímeros sintetizado por células especializadas denominadas melanocitos, ubicados en la capa basal de la epidermis. Otras sustancias como la hemoglobina, tienen un rol menor en la pigmentación de la piel.[10] *Las pieles de color oscuro tienen un mayor contenido de melanina que las pieles de color claro.*

Los primeros intentos para utilizar métodos estandarizados para medir el color de la piel, estuvieron basados en técnicas de comparación pareada. El más usado fue la escala cromática de Von Luschan, en el que la pigmentación de la piel era clasificada al compararla con 36 baldosas de cerámica cuyos colores se distribuían en un rango desde el blanco hasta el negro.[11] *Aunque considerado un método popular en la primera mitad del siglo xx, el reconocimiento de la subjetividad presente en su aplicación, llevó a los investigadores a abandonarlo alrededor de los años 50 del pasado siglo, cuando los primeros espectrómetros portátiles de reflectancia estuvieron disponibles. Los espectrómetros de reflectancia miden el porcentaje de la luz reflejada por la piel a diferentes longitudes de onda y se utilizan desde entonces, al considerarse como el instrumento que ofrece la medición más objetiva y exacta de la pigmentación de la piel.*

[10] E. J. Parra: "Human Pigmentation Variation: Evolution, Genetic Basis, and Implications for Public Health", en *Yearbook of Physical Anthropology*, 50: 85-105.

[11] A. H. Robins: *Biological perspectives on human pigmentation*, Cambridge University Press, Cambridge, 1991.

La pigmentación de la piel muestra una distribución atípica (comparado con el modo en que se comporta la distribución de otros rasgos humanos) en la geografía mundial. La pigmentación tiende a ser más oscura en el área ecuatorial y tropical comparada con las áreas más alejadas del Ecuador. Estimaciones precisas, tras realizar mediciones por reflectometría, muestran una fuerte asociación entre la pigmentación de la piel y la latitud, explicada por la intensidad de exposición a las radiaciones ultravioletas, que es mayor a nivel del Ecuador y disminuye progresivamente con el incremento de la latitud. Según diversos autores, la exposición a las radiaciones ultravioletas es el factor que determina la atipicidad de la distribución geográfica de la pigmentación de la piel. Las investigaciones evidencian a su vez que el color de la piel es más oscuro en el hemisferio sur que en el norte en la latitud equivalente y se ha explicado que estas diferencias hemisféricas están originadas por mayores niveles de radiación ultravioleta en el hemisferio sur, debido a factores como la concentración de ozono, la turbidez atmosférica y la distancia de la tierra al sol, entre otros.[12]

La melanina actúa como "llave" de la capa fotoprotectora de la piel. De particular importancia es su rol en el filtrado de las peligrosas radiaciones ultravioletas emitidas por el sol. La melanina funciona como un bloqueador solar, especialmente efectivo para proteger contra los dañinos efectos de la radiación electromagnética de longitudes de onda corta (~300 nm) que son las más peligrosas, al provocar mutaciones en el ADN y en consecuencia, alteraciones proteicas conducentes a enfermedades malignas de la piel. Estas son esencialmente las razones por las que, según los investigadores, los mecanismos de la selección natural favorecieron las pieles más oscuras, como

[12] R. L. McKenzie y J. M. Elwood: *Intensity of solar ultraviolet radiation and its implication for skin cancer*, 103: 152-154, 1997.

mecanismo de protección, entre quienes originalmente se establecieron en las zonas ecuatoriales y tropicales.

En la actualidad se conocen al menos 15 genes cuyas variaciones están relacionadas con la pigmentación de la piel, iris y pelo. Sin embargo, no existe hasta hoy en ningún caso una mutación que permita establecer una relación directa entre un gen y un color de piel específico.

El color de la piel de los cubanos

Hace poco tiempo realizamos en nuestro país un estudio de la pigmentación de la piel de un grupo de cubanos de todo el país. Investigamos entre sus participantes el comportamiento de la pigmentación en un área del cuerpo no expuesta al sol (piel de la cara interna del brazo) y en una zona ampliamente expuesta (piel del dorso de la mano). Utilizamos para ello un dermoespectrómetro, que es parte de la familia de equipos anteriormente mencionada.[13,14]

El índice de melanina que devuelve el instrumento es un valor entre 0 y 100. Las personas de piel más clara muestran valores cercanos al 20 y este se incrementa en la medida en que se oscurece la piel. El promedio de índice de melanina en el estudio realizado a casi 900 personas, en la cara interna del brazo fue de 39,8, con un valor mínimo de 23,4 y un máximo de 85,9. Se solicitó a cada participante que definiera su propio color de piel. Cuando se analizaron los valores del índice

[13] En este caso es un instrumento diseñado para medir el índice de melanina en la piel a partir de la luz reflejada en forma no especular en las longitudes de onda del rojo y el verde. La estimación del índice de melanina se realiza por este equipo a partir de una relación matemática del logaritmo en base 10 de 1 % de reflectancia del rojo.

[14] A. Fullerton *et al.*: *Guidelines for measurement of skin color and erythema. Contact Dermatitis*, 35: 1-10, 1996.

de melanina y se compararon con el color de piel que declaró sobre sí cada individuo, se apreció un comportamiento solapado. Personas clasificadas como mestizas y negras mostraron igual valor en el índice de melanina que el de personas autodefinidas como blancas y viceversa ¿Cómo es posible entonces establecer límites entre un color de piel y otro?

Al analizar más detenidamente los resultados, pudo observarse que en las regiones del país donde existe mayor número de personas de piel negra, un individuo definido como blanco posee el mismo índice de melanina que un individuo que se define como mestizo y reside en provincias donde predominan en número, personas de pieles más claras. Estos son elementos para reflexionar cuidadosamente sobre el componente perceptivo que interviene en la definición que se realiza del color de piel.

Por otra parte, diferencias notables se apreciaron en un mismo individuo de la muestra estudiada, entre su índice de melanina medido en la cara interna del brazo (recordemos que es un área mayormente no expuesta al sol) y el encontrado en el dorso de su mano. Tan amplias fueron esas diferencias, que si hipotéticamente se decidiera establecer puntos de corte basados en un valor límite del índice de melanina para agrupar a las personas por color de piel, una parte de los individuos estudiados podrían clasificarse con un color diferente al observar por un lado el dorso de su mano y por el otro, la cara interna del brazo. Los hombres mostraron valores en el índice de melanina más elevados que las mujeres.

El hecho de haber comprobado esas diferencias en el color de piel en dos áreas del cuerpo de una misma persona, es un elemento para meditar sobre una situación que quizás no se presenta en países de otras áreas geográficas, pero que en la latitud en que se ubica Cuba, en la que la incidencia de los rayos solares estimula ampliamente la producción de melanina, existe un escenario particular que nos obliga a un manejo más cuidadoso en la caracterización de este rasgo fenotípico. Aún más, podríamos preguntarnos ¿cuán objetiva es la clasificación por color de piel en blancos, negros y mestizos, mantenida a lo largo de nuestra historia y que realizamos además la mayor parte del tiempo observando las áreas del cuerpo más expuestas al sol?, más si ello ocurre en una nación mestiza. Con las evidencias obtenidas es posible afirmar que la distribución del color de la piel de los cubanos muestra un rango continuo de tonalidades cuyos límites son considerablemente imprecisos.

Dos de los genes pigmentarios analizados, SLC24A5 y SLC45A2,[15] *mostraron relación con el índice de melanina en los participantes cubanos. Se trata de genes que han sido previamente descritos en otras poblaciones como fuertemente asociados a los niveles de melanina pero nunca antes estudiados en la población cubana. El resto de los genes estudiados y que fueron seleccionados porque han mostrado asociación con el índice de melanina en poblaciones de otras regiones, no tradujeron relación con el índice de melanina en la investigación cubana.*

Una mirada obligada a El engaño de las razas

En 1946 publicó Fernando Ortiz El engaño de las razas. *El saber universal de casi cinco siglos de indagaciones en los campos de la biología y el pensamiento social fue sistematizado por el etnólogo cubano para fundamentar magistralmente una verdad científica: la inexistencia de las razas humanas.*

[15] B. Marcheco Teruel, E. J. Parra, E. Fuentes-Smith, A. Salas, *et al.*: "Cuba: Exploring the History of Admixture and the Genetic Basis of Pigmentation Using Autosomal and Uniparental Markers", en *PLoS Genet* 10(7): e1004488. doi:10.1371/journal.pgen.1004488, 2014.

En dos de los capítulos de este libro, examina Ortiz particularmente el papel de los genes y la herencia en una posible definición de "raza", teniendo en cuenta el contenido del que fue a su juicio "el concepto más prudente de raza", planteado por el antropólogo E. Hooton de la Universidad de Harvard, en el que se alude a "una gran división de la humanidad cuyos miembros, aun cuando individualmente variados, se caracterizan como grupo humano por una cierta combinación de caracteres morfológicos, principalmente no adaptativos, los cuales proceden de su común descendencia".[16] Tras el detallado análisis de los conceptos fundamentales de la genética disponibles hasta entonces, concluye:

> *...basta pensar en las incontables variantes de los individuos y de sus caracteres y en la enorme complejidad del proceso hereditario y de sus posibles y siempre variables peripecias, para comprender cuán ilusoria ha de ser la racialidad de un dado carácter corporal y, más todavía, de un conjunto de estos. En esa complejidad fenoménica se pierde la "raza". Su factor constitutivo elemental, o sea, el carácter somático hereditario, se extravía y desaparece en el tiempo por los rastros de las generaciones humanas, como se pierde en el espacio por las masas de población y sus meandros geográficos.*[17]

Desde entonces han transcurrido casi 70 años, dentro de los cuales, los vertiginosos avances en el conocimiento de la genética humana han confirmado las afirmaciones de Fernando Ortiz. La secuenciación del genoma humano, el estudio de las variaciones genéticas en individuos de las diferentes regiones

[16] Fernando Ortiz: *El Engaño de las razas*, 3ra. ed. pp. 66-67, Fundación Fernando Ortiz, La Habana, 2011.

[17] Ibídem, p. 215.

geográficas, el cartografiado de los genes, y más recientemente los estudios de mezcla étnica utilizando marcadores genéticos, validan su tesis de que, de acuerdo con el concepto anterior, "...una raza debe por la tanto estar constituida por un conjunto de caracteres semejantes, permanentes, hereditarios, definibles y presentes en todos sus miembros. Sin tales requisitos no existe biológicamente la 'raza',[18] *y al hecho de que en la diversidad que muestran los seres humanos "... las variantes que se ofrecen en cada carácter somático hacen que no se pueda precisar en sus escalas métricas dónde comienza y acaba una raza y donde la otra o las otras".*[19] *Recordemos lo explicado anteriormente en estas notas en relación con el color de la piel y el índice de melanina, como un ejemplo de la distribución continua de esta característica humana.*

Fernando Ortiz evocó en no pocas ocasiones al abordar el tema de las "razas" en Cuba a José Martí, al encontrar en su obra ideas y principios esenciales para desmontar la falacia de las "razas" y la sinrazón de los racismos y aun, para procurar que sentimientos de "razas" no laceraran la unidad de los cubanos. Martí nos anticipó que "La igualdad social no es más que el reconocimiento de la equidad visible de la naturaleza"[20] *y que "Todo lo que divide a los hombres, todo lo que los especifica, aparta o acorrala es un pecado contra la humanidad...Insistir en las divisiones de razas, en las diferencias de raza, de un pueblo naturalmente dividido, es dificultar la ventura pública, y la individual que están en el mayor acercamiento de los factores que han de vivir en común".*

[18] Ibídem, p. 494.

[19] Ibídem, p. 497.

[20] José Martí: *Obras Completas*, t. V, p. 282, Editora Nacional de Cuba, La Habana, 1963.

Se agradece la oportunidad de leer este libro, valiosa contribución a la necesaria reflexión sobre nuestra realidad social, desde las historias de vida y diversidad de saberes de cada uno de sus entrevistados. Se me han pedido unas palabras iniciales, aquí están, con el propósito de servir de algún modo en nuestra lucha por conquistar toda la justicia.

DRA. C. BEATRIZ MARCHECO TERUEL[21]
Mayo de 2015

[21] Médico. Especialista en Genética Clínica. Profesora e Investigadora Titular del Centro Nacional de Genética Médica de la Universidad de Ciencias Médicas de La Habana.

Introducción

Y ahora viene la cuestión toral —la cuestión del matrimonio—. La eterna pregunta. Y, ¿tú casarías tu hija con un negro?

Para mí no tiene esta pregunta ninguna significación. Es difícil que yo encontrase marido digno de mi hija, si yo tuviera por ejemplo la hija que yo quisiera tener, fina e ideal, con mucha mente y mucho corazón, y tan sensible, que no me la pudiesen rozar sin lastimarla el (casco), de su cabello. Si yo encontrase en un negro las condiciones apetecibles para darle esta gloria y consuelo de mi vida, frágil como la espuma y limpia como un rayo de sol, yo sé que tendría la sensatez y el valor de afrontar el aislamiento social, y de consentir por mi parte en acceder a la voluntad de mi hija. O la llevaría a tierra, donde se sientan en haz los negros y dan el brazo a todos los señores los negros cultos y honrados.

Pero para eso sería previo que mi hija se enamorara del negro, y que el negro demostrase no solo condiciones de generosidad en bruto, ni su simplicidad, que es hoy con justicia y seguirá siendo para los hombres honrados, su mayor poder, porque es la prueba patente de su mayor derecho, sino las condiciones excepcionales de carácter y de cultura necesarias para enamorar a mi hija, a despecho de la oposición y repulsa general, y los prejuicios sociales, odios a la juventud y a la mujer, que el problema negro implica.

Y en otra parte el autor de este texto señala:

Ahora en cuanto a la práctica. ¿Cómo se resolverá el problema? ¿Iremos al negro? ¿El negro vendrá al blanco?
Deben mezclarse las razas. Y la otra pregunta: ¿Puede impedirse que se mezclen? Lo que es, es.

A manera de conclusión el autor sentencia:

*¿Por dónde empezará la fusión? Por donde empieza todo lo justo y lo difícil, por la gente humilde. Los matrimonios comenzarán entre las dos razas entre aquellos a quienes el trabajo mantiene juntos. Los que se sientan todos los días a la misma mesa, están más cerca de elegir en la mesa su compañera, que [los] que no se sientan nunca en ella. De abajo irán viniendo de esa manera.**

Al más simple lector este artículo le parecería escrito en estos tiempos; como formando parte del debate que en la actualidad promueve un grupo de intelectuales y activistas contra esa lacra que durante más de medio milenio corroe a la sociedad cubana. Pero no, fue escrito nada menos que por nuestro José Martí en la época de su plena madurez. Confieso que cuando tuve este texto en mis manos sentí la necesidad de confirmar su validez con mis propios ojos y fue así que acudí a la biblioteca del Centro de Estudios Martianos. Allí estaba el documento escrito, con puño y letra, por el más grande pensador de los cubanos.

* Jose Martí: "Para las escenas", *Anuario* no. 1, pp. 31-33, Centro de Estudios Martianos, La Habana, 1978.

¿Por qué no aparece esta profunda reflexión en las *Obras Completas* del Maestro?, ¿Por qué surge a la luz en estos tiempos? No es lo más importante ahora, lo lamentable y triste es la tremenda vigencia que tienen estas ideas en la actualidad.

Parecería increíble que después de tantos años se mantenga la fuerza de esos prejuicios denunciados por el Apóstol y peor aún, se reproduzcan a pesar de los avances logrados.

Tanta ignorancia acumulada durante años, la retrasmisión de estereotipos negativos, la insuficiente presencia del tema en la educación a todos los niveles, la poca presencia en los medios de comunicación masiva, la herencia de una mentalidad retrógrada desde tiempos inmemorables, son factores que se entretejen dando lugar a nefastas historias que afectan y empañan la sociedad a la que aspiramos.

Muestra de la carga de subjetividad que provoca el racismo y sus manifestaciones de discriminación y prejuicio fue la experiencia observada durante uno de los debates sostenidos con jóvenes de una unidad militar acerca de la problemática racial en nuestro país. Una joven oficial y dirigente de la UJC al intervenir hizo referencia a su experiencia personal: en las fotos de familia siempre aparecían negros amigos. Cuando ella decidió casarse con un joven negro, toda la familia se puso en contra. El abuelo llegó a amenazarla con ahorcarse si se casaban; porque eso significaría una indecencia.

En marzo de 2012 durante uno de los talleres debates organizados por la Comisión José Antonio Aponte de la Uneac y la Asamblea Nacional del Poder Popular, efectuado en la provincia de Ciego de Ávila, un periodista presente planteó que él no creía en la existencia de racismo en Cuba hasta el día que un padre patriota y revolucionario, amigo suyo, sufrió de un derrame cerebral al conocer que su hija estaba con un mulato. A los pocos días el hombre falleció.

Del por qué la existencia y vigencia de estos prejuicios por el color de la piel trata este libro, de la necesidad de exterminar a ese pequeño racista que al decir de la doctora Pogolotti sobrevive entre nosotros, de contribuir a la educación de jóvenes y viejos siguiendo el axioma martiano de que, "educar es preparar al hombre para la vida".

La presente recopilación contiene varias miradas sobre esta mácula social que data de siglos, pero todas coincidentes en su permanencia y en la necesidad de extirparla definitivamente.

Sin lugar a duda, la discriminación por el color de la piel es una de las discriminaciones más antiguas de la sociedad cubana y tal vez del género humano. Se impone combatirla y para contribuir a ello se propone este texto a los lectores.

Luchar contra el racismo es fortalecer la unidad de la Nación*

*Ricardo Alarcón de Quesada***

En 2009 la Asamblea General de Naciones Unidas adoptó la Resolución 64/169 designando el 2011 "Año Internacional de los Afrodescendientes". Varios países de la región, entre ellos Cuba y, en nuestro caso, no por una resolución, sino por histórica convicción, se encuentran desarrollando actividades al efecto. ¿Cuál es su apreciación acerca de este acontecimiento?

Es necesario, indispensable, luchar hasta la erradicación completa y total del racismo y la discriminación racial en cualquier forma o grado en que se manifieste. Igualmente hay que reconocer la contribución cultural, espiritual y religiosa, así como a las luchas sociales y políticas que los esclavos y toda la diáspora africana han dado al resto del mundo. Pero también hay que poner fin a la marginación y subordinación que sufre todavía África, un continente entero, todo él preterido y discriminado. Si a eso contribuye, aunque sea en algo, la Resolución 64/169 pues, bienvenida sea. Pero te confieso que no me entusiasma demasiado esa moda de Naciones Unidas convocando al año de esto o al año de lo otro. Es ya bastante larga la lista de resoluciones de ese tipo de las que nadie se acuerda.

* Entrevista realizada en agosto de 2011. Todas las entrevistas, salvo que se indique lo contrario, fueron realizadas por Heriberto Feraudy Espino.

** (1937). Doctor en Filosofía y Letras, escritor y político cubano. Entre 1993 y 2013 fue el presidente de la Asamblea Nacional del Poder Popular de Cuba, máximo órgano legislativo del país.

A algunos puede servirles para ceremonias y discursos autocomplacientes. Pero el 2011 puede pasar a la historia como el año en que más africanos mueran por hambre, el año en que se masacra impunemente a un pueblo africano, el de Libia, y el año en que en países europeos aumenta la persecución y el hostigamiento contra la emigración africana.

Dicho lo anterior, nosotros en Cuba, debemos aprovechar esa resolución para avanzar mucho más en la batalla por la igualdad, contra el racismo y la discriminación. No para cumplir con una formalidad ni para inclinarnos ante la hipocresía mundial. Sino porque esa batalla es muy importante para nosotros, debemos librarla a fondo porque ella está en el mismo centro del empeño por fortalecer la unidad de la nación, que es, nada menos, que el "más preciado legado de nuestra historia y del proceso revolucionario" como proclamó el Informe Central que presentó el compañero Raúl al VI Congreso del Partido y que fue aprobado por todos los delegados.

Son conocidos los vínculos de amistad que lo unían a usted con Gerardo Abreu Fontán, uno de los jóvenes más destacados en la lucha clandestina contra la tiranía batistiana aquí en La Habana, y que fuera consecuente con sus ideas hasta ser asesinado por los sicarios del régimen. ¿Tenía Fontán alguna apreciación acerca del fenómeno de las desigualdades raciales en nuestro país?

Gerardo era, por muchas razones, un ser extraordinario, irrepetible. Conoció en carne propia lo peor del capitalismo y el racismo. Nació en el Condado en Santa Clara, que entonces era un barrio de indigentes. No pudo terminar el cuarto grado de la escuela primaria. Desde niño tuvo que trabajar para ayudar a su madre y a su familia y tuvo que hacerlo en los empleos más humildes, lo que aquella sociedad reservaba a los negros pobres.

Cuando lo conocí, sin embargo, me encontré frente a un hombre de inteligencia y madurez excepcionales, de gran sensibilidad, culto y refinado. Fue mi jefe como lo fue de la inmensa mayoría de los jóvenes que militamos en el Movimiento 26 de julio en La Habana. El compañero más querido y respetado, que a todos nos convoca cada 7 de febrero después que han pasado ya más de cincuenta y tres años de una fecha que irá siempre con nosotros. Ese día fuimos muchos los que lloramos de rabia y fueron muchos los jóvenes que se lanzaron a las calles y tomaron los centros de enseñanza, incluyendo las academias privadas, e iniciaron la que fue, probablemente la huelga más prolongada de nuestra historia. Quizás sobre decirlo, pero la mayoría de los jóvenes que se lanzaron a esa hermosa batalla eran "blancos" dispuestos a morir también por su líder, el Negro Fontán.

Cuando nos acercábamos a él, quienes tuvimos el privilegio de hacerlo no pocas veces, era casi siempre para recibir sus orientaciones. Gerardo era hombre de pocas y sabias palabras. Aunque todos teníamos casi la misma edad nos aproximábamos a él como a alguien superior a nosotros; una leyenda viviente.

Tarde en la noche, por el Mercado Único, quizás alguna vez comiendo una "frita", que era entonces el único lujo, hablamos de otras cosas. De la Cuba futura; sin explotación ni discriminación, de igualdad y solidaridad, una Cuba libre y socialista. Pero también de poesía, de literatura y de música.

No tengo la menor duda de que Fontán sabía que la discriminación racial era uno de los peores males de aquella república y estaba convencido que solo se resolvería con una profunda Revolución, con el socialismo. Él siempre nos enseñó que la victoria no sería simplemente el derrocamiento de la tiranía y que mucho habría que luchar después.

En las Brigadas Juveniles y Estudiantiles del M-26-7 no hubo, ni podía haber, una pizca de racismo. Nuestro jefe indiscutido, al que todos obedecíamos sin chistar y con absoluto convencimiento de que su orden era justa, era el Negro Fontán. Solo le desobedecimos una vez, el 7 de febrero de 1958, el día atroz en que cayó en las garras de los esbirros batistianos. Él siempre orientó abandonar nuestros lugares de residencia o refugio cuando fuera preso alguien que los conociera. La tortura, nos decía, puede doblegar a cualquiera. Ese día incumplimos su orden. Más de medio siglo después, hoy puedo tener esta entrevista porque Gerardo no habló. Soportó las más bárbaras torturas, los peores tormentos, pero no dijo una sola palabra.

Te pido disculpas por la extensión de mi respuesta. Y a Gerardo por su brevedad. Pero a él quiero decirle, otra vez, "comandante Fontán, hasta la victoria siempre".

Teniendo en cuenta sus relaciones durante los años jóvenes con sectores populares y la responsabilidad que ocupaba como dirigente del Frente Estudiantil Nacional ¿cuál fue su experiencia ante las prácticas discriminatorias de la época y a qué atribuye el hecho del racismo institucionalizado en aquella República?

En cuanto a experiencias, vayan dos. En mi barrio, en La Víbora, tenía un amigo, de la burguesía negra, quien vivía cerca en una casa mucho mejor que la de mi familia. Jorge, así se llamaba mi amigo, acababa de casarse y me pidió que ayudase a su novia, una bella mulata, a buscar un apartamento para ellos. La acompañé y en mi presencia el dueño accedió al arreglo que se concretaría esa tarde con la firma del contrato. Cuando llegó Jorge le dijeron que algo había pasado y no le alquilarían. Como mi amigo era abogado protestó, habló de la Constitución, amenazó con poner pleito por discriminación racial... pero tuvo que buscarse otro lugar. Así fue como terminó en un modesto apartamento en el Sevillano. Allí yo me refugié la noche del 9 de abril de 1958, cuando los esbirros desataron una verdadera cacería por toda la ciudad. Pero eso ya es otra historia.

Alguna vez fui con Jorge a visitar amigos comunes que vivían en Miramar. Quizás ya otros no recuerden o no sepan.

Pero yo bien recuerdo cuando, al cruzar el túnel, el policía que nos detuvo, mirando a Jorge preguntó: "¿Y tú, negro, a dónde vas?".

¿Y Crescencio, mi compañero de bachillerato? Su piel era mucho más oscura, verdaderamente negra. También era pobre. Trabajaba como jornalero en Obras Públicas, para estudiar por las noches. Tenía una obsesión: ser médico. Un día me lo encontré, a comienzos de la Revolución, en la Colina. Venía ensimismado y triste. Un profesor, ante toda el aula le había espetado: "¿Tú qué haces aquí?", y ante su respuesta de que quería ser médico: "¿Tú crees que yo dejaría que examinaras a mi hija?".

Crescencio quería ser médico, ginecólogo. Lo fue y muy notable. Aquí murió tras cumplir una brillante carrera.

En aquella época el racismo era algo omnipresente pese a ser formalmente ilegal. Lo condenaban las leyes pero pervivía en la vida cotidiana. Aquella república era el producto deforme y castrado de la intervención foránea y racista en una Revolución que nació para abolir toda forma de discriminación y exclusión.

En su opinión cuáles son los factores internos y externos que en Cuba aún no contribuyen para combatir exitosamente los prejuicios que puedan conducir a la discriminación racial.

En cuanto a los factores internos creo que lo más importante, la clave indispensable, es asumir cabalmente nuestra historia. Aún nos falta bastante en ese campo.

Todo comenzó cuando unos hombres quisieron crear un país independiente y descubrieron que solo podría existir si fuese la realización de la utopía, alcanzar la "perfecta igualdad" para emplear la definición del Padre de la Patria.

Por línea materna soy camagüeyano, blanco, quesadista y, por tanto, cespedista. De niño escuchaba anécdotas sobre la tía Anita, una heroína olvidada siempre, de las peleas de ella y su marido contra los racistas y los anexionistas (que eran, no lo olvidemos, uno y lo mismo).

Es bella la historia de la muerte de Oscar y la reacción de Carlos Manuel por la que le decimos Padre de la Patria. Pero ¿por qué no le damos ese título por el 10 de octubre que culminó cuando todos unidos celebraron por primera vez con la tumba francesa? ¿O cuando poco antes de morir, allá en la Sierra, recibía el homenaje, tierno y respetuoso, de las negras, que a él acudían buscando apoyo frente a los prejuicios de otros cubanos?

En cuanto a los factores externos mencionaré solo algunos. Uno es, por supuesto, la guerra económica que se nos impone y cuyo objetivo es hacer sufrir a la gente. En tales circunstancias sufren más los que menos tienen y ese ha sido el caso de la mayoría de los negros y mulatos.

También está el tema de la prensa. Los códigos que diseminan las grandes corporaciones mediáticas son, a veces sutilmente, otras de modo más obvio, racistas y discriminatorios. Ellos penetran también nuestros medios y debemos trabajar muy duro aún para contrarrestar su influencia. Un ejemplo: Mucho se difundió hace algunos años la elección de Michelle Bachelet como la primera mujer que asumió el gobierno de Chile. Te aclaro que es una persona de grandes méritos y a la que respeto sinceramente. Sentimientos iguales tengo por Portia Simpson la que, casi al mismo tiempo, fue la primera mujer en asumir igual posición en Jamaica, pero su elección no tuvo, ni lejanamente, la misma repercusión mediática en ninguna parte. La Bachelet es rubia y nació en la clase media chilena. Portia es negra, descendiente de esclavos y representa a uno de los distritos más humildes de Kingston. ¿Por qué la diferencia en el trato que les dio la prensa?

Está también la coyuntura económica actual y el papel de las remesas familiares. Nuestra emigración es blanca en más de 90 %. Como consecuencia obvia este factor introduce elementos de desigualdad.

También por esa vía nos llegan juegos, videos y otros productos de "entretenimiento" que muchas veces promueven la banalidad, la violencia y el racismo de la sociedad que los produce.

El año pasado se efectuó una Mesa Redonda donde por primera vez se abordó de manera inusual el fenómeno del racismo y la discriminación racial en nuestro país. Según información recibida, esta Mesa Redonda tuvo cierta repercusión en diferentes sectores de la sociedad cubana. ¿Cuál es su valoración al respecto?

Vi ese programa y pienso que debería haber muchos otros para abordar el tema y no solo en la televisión. También en la prensa escrita y en el sistema de educación del país.

El general Raúl Castro ha calificado como una vergüenza el insuficiente avance en esta materia después de cincuenta años de Revolución y ha hecho un llamado a tomar conciencia sobre el asunto.
¿Qué medidas concretas sugiere usted podrían contribuir a esa toma de conciencia?

El compañero Raúl ha sido muy claro y transparente y prosigue esta lucha con la tenacidad y sistematicidad que lo caracterizan. Él no descansará hasta que, en cuanto al negro y la mujer, sea realidad el ejercicio pleno de la igualdad de derechos.

Ha habido avances significativos con la elección del nuevo Comité Central del Partido, así como en recientes elecciones provinciales del Poder Popular y del Partido. El tema estará muy presente en la Conferencia nacional que el PCC celebrará el próximo enero.

El propio Raúl ha hablado de la importancia de cambiar mentalidades. Eso significa trabajar mucho en educar a la gente y al mismo tiempo vigilar para que en la política de cuadros se promueva efectiva y racionalmente a mujeres y negros preferentemente jóvenes.

Hace poco leí una información donde entre otras cosas se señala: "Programa de notificación del Congreso de los Estados Unidos; categoría de apropiación: título del proyecto: pensado para 2010 obligación: hemisferio Occidental los Fondos de Apoyo Económico Cuba, 20 millones de dólares".

El Departamento de Estado de Estados Unidos y la USAID tratan de comprometer en este año fiscal 2010, 20 millones de dólares en Fondos de Apoyo Económico (FAE) para los derechos humanos y las iniciativas de la sociedad civil en apoyo al pueblo cubano, 2010...

Como usted conoce, existen algunos elementos internos que en su afán de obtener ganancias y de derrocar a la revolución cubana tratan de promover sentimientos verdaderamente racistas y se aprovechan de estas migajas que ofrece el gobierno norteamericano y sus agencias intervencionistas. ¿Cuál es su valoración respecto a estas medidas de la actual administración norteamericana y la reacción interna?

En esta materia la actual administración está aplicando exactamente la misma política que todas las anteriores desde 1959. Es la política consagrada, por cierto, en la Ley Helms-Burton, que Obama acata y ejecuta sin parpadear. Esa ley concebida e impulsada por el más furibundo racista sureño haría retroceder a Cuba hacia lo peor de su pasado. No quisiera imaginar lo que sería la vida de los negros en una Cuba a la medida de lo que diseñó Helms.

¿Qué pudiera hacer la Asamblea Nacional para avanzar en la lucha para eliminar el racismo y la discriminación racial?

Es un tema que debe estar presente en la labor sistemática de control y verificación que llevan a cabo las comisiones permanentes de la Asamblea Nacional y también las provinciales y municipales. En el cumplimiento de esa tarea fundamental las comisiones deben asegurarse de que todos los organismos y entidades del país tomen debidamente en cuenta la dimensión étnica y trabajen para erradicar completamente cualquier forma de discriminación.

Sé que la Comisión Aponte ha establecido vínculos con nosotros para promover esta actividad integralmente. Todos los cubanos tenemos una enorme deuda con José Antonio Aponte, el negro habanero que fue el primer cubano que conspiró por la independencia. Se acerca el bicentenario de su ahorcamiento. El mejor modo de rendirle el tributo que merece es luchando a fondo por la igualdad y la solidaridad entre todos los cubanos.

LA PROFUNDIZACIÓN DEL SOCIALISMO DEBE SER ANTIRRACISTA*

*Fernando Martínez Heredia***

¿Por qué, aún después de medio siglo de Revolución, continúan observándose prácticas de discriminación racial y prejuicios raciales en la sociedad cubana?

La respuesta "constructiva" más usual a esta pregunta está muy desgastada. Ella insiste en que medio siglo es poco tiempo para lo que se acumuló durante siglos. El colonialismo español tenía más de tres siglos y medio de implantación en Cuba, con población, idioma y muchos elementos más a su favor, y fue destruido sin remedio en solo treinta años por las revoluciones anticoloniales. A nadie se le ocurre que haya habido influencia política española en Cuba en los últimos 113 años.

Hay que acercarse de otra manera a un hecho innegable: el siglo XIX —y no los tres siglos anteriores— fue el de la implantación en Cuba de un racismo tremendo, que se benefició un poco de la tradición, pero dependió de su propio esfuerzo y de las necesidades de la nueva dominación. La composición de la población, las relaciones sociales principales y muchos

* Entrevista realizada en mayo de 2011.

** (1939). Doctor en Derecho. Director de la Revista *Pensamiento Crítico* (1967-1971). Premio Casa de las Américas de Ensayo (1989). Director General del Instituto Cubano de Investigaciones Juan Marinello. Es Premio Nacional de Ciencias Sociales (2006). Entre otros libros ha publicado *El corrimiento hacia el rojo* y *Repensar el Socialismo*.

elementos de la cultura del país que existen hasta hoy se formaron bajo un modo de producción que utilizó masivamente un millón de africanos importados como esclavos en el breve lapso de un siglo. Una de las instituciones modernas de la Cuba del siglo xix fue el racismo antinegro, intencional, legalizado y socializado de todas las formas que fue posible. Los treinta años de revolución a los que me referí le dieron un golpe formidable a aquel racismo y lo hicieron retroceder de muchos modos. He insistido en el peso trascendental de ese evento y de sus consecuencias permanentes, por lo que no alargaré aquí mi respuesta.

Los dos hechos están ahí: uno en contra, otro a favor de una integración de los cubanos sin racismo antinegro. Pero la nación-Estado existente desde 1902 realizó solo parcialmente los ideales y el programa revolucionario del 95, se alejó de ellos en sus prácticas y por su naturaleza burguesa neocolonial abandonó proyectos como el de una integración nacional antirracista. En la cultura republicana, el racismo fue condenado políticamente y se mantuvo socialmente, a pesar de los innegables adelantos subjetivos y objetivos que experimentaron los no blancos y de que la mayoría de los blancos asumieron el antirracismo como un requisito de la cultura cívica. Entre 1886 y 1958 se mantuvo la situación relativa de los no blancos, la peor en cuanto a medios materiales, condiciones de vida y oportunidades entre los grupos en que puede clasificarse la mayoría la población del país, que vivía explotada o en la miseria.

Esas fueron las condiciones básicas dentro de las cuales se mantuvo la nueva construcción social de razas y racismo plasmada durante la posrevolución, a inicios del siglo xx. Ella gozó, por consiguiente, de consenso mayoritario. Aunque el modo de producción dominante ya no necesitaba directamente el racismo después de 1886, el capitalismo cubano lo incluyó dentro de sus reformulaciones de la hegemonía. La acumulación cultural existente en el país no tuvo fuerzas suficientes para impedírselo, y más bien incluyó al racismo dentro de su acervo, de maneras vergonzantes; así lo vivió —en grados y formas diversas— la mayoría de la población. Sin duda, hubo una evolución de los problemas raciales entre 1902-1958, que resultó positiva para el antirracismo durante el período que llamo "la segunda república", pero que no logró romper lo esencial.

La Revolución emprendió desde 1959 una transformación de las personas, las relaciones sociales, las instituciones y otros aspectos de la vida social y el país en su conjunto que resulta incomparable a cualquier hecho histórico anterior —excepto la colonización de Cuba por los europeos—, por su profundidad, su carácter abarcador y sus consecuencias. El racismo sufrió a causa de ella una gran derrota en su naturaleza, sus manifestaciones y, sobre todo, en las bases que tenía en el sistema social de dominación burguesa neocolonial. Pero hubo dos ausencias fundamentales en la política de la Revolución en este campo. Una fue consecuencia del propio proceso: la lucha por la obtención de la unidad del pueblo y de los revolucionarios, su obtención y su conversión en un principio central de la ideología y las prácticas políticas. Las diversidades sociales fueron obviadas ante la unidad y sus problemas no se atendieron a fondo, o fueron sacrificadas cuando se consideró necesario. Sin proponérselo, la Revolución le dio espacio a un aspecto negativo del nacionalismo republicano, que oponía el patriotismo a las demandas y luchas sectoriales de tipo social o racial, pero ahora ese hecho se reforzó por el peso inmenso y abarcador que tenía la politización en la vida social de la población.

La lucha contra el racismo formaba parte de la Revolución, pero no fue una de aquellas banderas suyas que eran asumidas por el pueblo con ardor avasallador que rendía oposiciones, escollos, tradiciones y prejuicios, y eran organizadas por el poder revolucionario para darles viabilidad y efectos permanentes.

La otra ausencia provino del recorte del alcance de la Revolución, que sucedió a inicios de los años setenta. El ciclópeo trabajo de modernizaciones emprendido entre todos y guiado por el poder revolucionario en su primera etapa incluía la comprensión de que la modernización tenía que ser al mismo tiempo criticada, comprendida y denunciada como un peldaño que la dominación puede ascender sin dejar de existir, y que puede terminar en la "normalización" de las cosas y el fortalecimiento de una nueva forma de dominación, modernizada. En la segunda etapa, iniciada con los años setenta, esa comprensión se fue perdiendo y abandonando, lo que ha ocasionado un daño grave al proceso. El combate a ese retroceso fue incluido en el proceso llamado de "rectificación de errores", de la segunda mitad de los años ochenta. En estos últimos veinte años esa grave deficiencia de la conciencia y la crítica socialista sigue vigente, aunque los datos del problema han cambiado mucho.

Por la primera ausencia se abandonó prácticamente la concientización antirracista y la elaboración de una estrategia de educación de los niños y jóvenes —y de reeducación de los adultos— para una integración socialista entre las razas en Cuba, a pesar de que las tareas y los logros de la Revolución le hubieran brindado un suelo óptimo. Al contrario, se veía mal referirse a cuestiones "raciales", que serían "rémoras de la sociedad anterior" que el socialismo en general liquidaría.

Por la segunda ausencia se estimularon el individualismo egoísta, la formación de grupos privilegiados y retrocesos notables en la ideología revolucionaria, a pesar de que la expansión y sistematización de los logros de la Revolución y de las acciones internacionalistas brindaban un suelo favorable y apropiado para continuar la política de relaciones dialécticas entre la liberación y las modernizaciones, gobernada por la primera y con procesos de concientización correspondientes. Los resultados fueron muy contradictorios, tanto a nivel del país en su conjunto como al de las personas. En la cuestión racial fueron muy positivas en esta etapa la maduración de las relaciones interraciales en la vida de los individuos, la universalización de la educación y su papel destacado en el ascenso social y el prestigio, la preocupación por tener una participación mayor de los no blancos en las instituciones y la parte que les tocó a estos en el aumento del bienestar material que se produjo. Pero el paradigma civilizatorio que tendió a predominar contenía latentes elementos del orden burgués que lo creó, y para este los pobres son individuos ineptos o que no cuentan, y los no blancos son seres inferiores.

Me referiré a la situación actual al responder las preguntas siguientes.

¿Cuáles son los rasgos que caracterizan las manifestaciones de discriminación racial y prejuicios raciales en la Cuba actual?

Ante todo, el más preocupante es el crecimiento de ellas en las dos últimas décadas, si nos atenemos al consenso de los observadores y los analistas. El punto de partida era muy bajo, pero ese dato no le quita importancia al problema. Lo relaciono con otro fenómeno que parece diferente y menos dañino: una mayor afinidad en cuestiones de vida cotidiana y relaciones amistosas de personas con rasgos raciales análogos. Eso parece poseer la inocencia de lo que sucede "en la vida privada" pero, como otros eventos actuales, está cargado de sentido de cambios en la forma de vida, las relaciones sociales y las concepciones compartidas, que a mediano plazo tocarán fuerte a la puerta de los asuntos políticos y de la naturaleza del sistema social. En realidad, en nuestro país y nuestra época se trata de una forma de "naturalización" de los prejuicios raciales que resulta factible, y que no parece negar el derecho de nadie. Porque mostrarse ajeno a las relaciones y las definiciones sociales es fundamental para el avance del racismo en la Cuba actual.

La discriminación y los prejuicios raciales son opuestos a la legalidad y las relaciones revolucionarias, y han sido condenados de manera descarnada y reiterada por el presidente, compañero Raúl Castro. Estos factores no son nada desdeñables, pero las actitudes y prácticas racistas —que asumen formas muy variadas— viven en un mundo paralelo, jamás chocan con las definiciones revolucionarias y no suelen mostrarse abiertamente. Las que se dan en las instituciones se ocultan con hipocresías o detrás de instrumentos administrativos. En la vida social, la discriminación y los prejuicios raciales tampoco se exhiben, funcionan en silencio, en entendidos que es de mal gusto mencionar, a través de hechos y no de posiciones expresas, pero funcionan. Sus víctimas no tienen —o tienen muy pocas— posibilidades de defenderse, por esas formas sutiles de ser de nuestro racismo y porque no resultan agobiadas y excluidas en su vida en general por estas: pueden protestar o alegar, pero pueden resignarse en silencio y tomar por otras vías, es decir, pueden "darse su lugar".

Las manifestaciones actuales de racismo tienen a su favor un viejo saber social que está tratando de regresar en la Cuba actual: "siempre fue así". Este es un tercer rasgo que a mi juicio es crucial. Ellas son un territorio del crecimiento de la cristalización de desigualdades sociales, un paso muy necesario para los que aspiran al retorno al capitalismo. El antiguo y grande arraigo del racismo en la cultura cubana, su evolución y persistencia en nuevas condiciones y su latencia durante el auge revolucionario lo capacitan para tornarse una parte efectiva de la vanguardia social en un eventual proceso de retorno al capitalismo —que sería siempre muy complejo y riesgoso—, porque no alude directamente a la "cuestión social", es decir, a la explotación, sometimiento y devaluación social de las mayorías que están basados en la ganancia y los demás aspectos centrales del sistema capitalista. El racismo y sus efectos parecen deberse a la naturaleza, y no a las relaciones sociales. La sinceridad brutal expresada en una publicación reciente —"siempre hubo pobres"— solo despierta rechazo: es, por lo menos, una pifia. Mientras, el racismo funciona como una ideología y no necesita tener intenciones políticas para existir y cumplir su tarea.

Otro rasgo que advierto es que el racismo puede ser muy reforzado si se agudizan las desigualdades sociales, por la tendencia a que existan de estratos y grupos sociales que participan menos de la riqueza y son menos favorecidos socialmente, personas y grupos ubicables en cuanto a conductas, modos de vida y lugares. Si no se produce una ofensiva cultural, ideológica y política socialista que enfrente esas tendencias, las representaciones sociales predominantes acerca de esos sectores llegarán a ser muy desfavorables y tenderán a estabilizarse como tales, no solo por la usual confusión entre causas y consecuencias sino por la influencia de la guerra cultural imperialista actual, con sus dicotomías como la de "éxito-fracaso" para cada individuo, su "sálvese quien pueda" y las demás armas de su arsenal. Los no blancos que pertenezcan a esos grupos pueden ser objeto de racismo en dos sentidos: por estar en proporción mayor a la que tienen en la población total; y por sus rasgos como no blancos, que constituirían una agravante.

¿Cómo valora usted los actuales niveles de pobreza que se observan en la población negra y mestiza en nuestro país?

No voy a alargar mis respuestas relacionándolos. Comparto los criterios de todos los que informan sobre ellos y destacan su entidad, sus causas y su persistencia, y la obligación que tienen las instituciones de no silenciar o disfrazar esos niveles de pobreza. Este silenciamiento sucede cuando no se recolecta y ofrece información desglosada por color de la piel ni se incluye esa variable en las mediciones y valoraciones, mediante instrumentos y métodos idóneos; cuando no se incluye la cuestión —o se hace pobremente— en los estudios y las estrategias institucionales, en la enseñanza, en las campañas de divulgación y en otras actividades en que debería hacerse. En esa situación, como en muchos otros campos de la vida del país, inciden muy duramente la inercia, el espíritu burocrático y la ignorancia, y no tanto motivaciones racistas. Pero es obvio que los procesos de diferenciación económica y social que están en curso desde hace casi veinte años afectan a los no blancos en medida mayor que su proporción en la población del país. Quiero al menos señalar el gravísimo problema moral de desentenderse de las carencias y desigualdades de los propios paisanos, las injusticias que esa situación conlleva y las perspectivas de divisionismo y conflicto social que implica.

En su opinión, ¿cómo debemos enfrentar los desafíos relacionados con las desigualdades raciales en la Cuba actual?

Es obvio que el problema tiene dos aspectos discernibles: las realidades y desventajas que motivan la pregunta anterior —los niveles de pobreza—, y el relativo al racismo, que motiva las dos primeras preguntas. Existe una historia de relaciones entre los dos aspectos, a la que he aludido en mis respuestas, historia que ha implicado situaciones diferentes. En las tres primeras décadas después de 1959 la vinculación entre ambos aspectos fue, a mi juicio, la menor a lo largo de toda esa historia; en las dos últimas ha crecido, pero está lejos de ser lo determinante en cuanto a las manifestaciones de racismo. Quiero resaltar, eso sí, que para analizar todas estas cuestiones es imprescindible tener en cuenta las diferencias de los problemas en los diferentes medios sociales existentes y los correspondientes ambientes que en ellos cristalizan.

El combate a las desventajas "objetivas" que padece una alta proporción de los no blancos debe formar parte, sin duda, de una política revolucionaria socialista general que favorezca a las cubanas y cubanos de cualquier color de piel que padezcan esas situaciones. Pero es imprescindible añadir una política especializada —bien fundamentada—, dirigida a erradicar o disminuir las situaciones de personas y grupos no blancos que se deben a una reproducción continuada de sus desventajas que se convierte en formas culturales, y las debidas a relegaciones y discriminaciones por causas raciales. En el diseño y en la instrumentación de esa política deben ser determinantes la participación, juntos, de especialistas y de personas que forman parte de los grupos en desventaja, y la voluntad de no permitir que se reduzcan a acciones administrativas que se rutinizan, decaen y finalmente desaparecen.

No comparto la política de acciones afirmativas, porque ella es un recurso de las sociedades de dominación capitalista para corregir en alguna medida características suyas escandalosas y que pueden acarrear protestas y desordenes sociales. La asignación de recursos, las ordenanzas y las acciones de esa política no ponen en cuestión lo esencial, que es la naturaleza del racismo y sus funciones positivas para la dominación, no son educativas ni constituyen pasos hacia cambios profundos en las personas y las relaciones sociales, es decir, no son acciones antirracistas ni son socialistas. En la transición socialista, la política debe tener propósitos socialistas y formar parte de una gigantesca escuela social; cada uno de sus aspectos importantes está obligado a cumplir esos requisitos.

El segundo aspecto, naturalmente, proviene de las discriminaciones y prejuicios que configuran la persistencia del racismo. Quisiera hacer una distinción previa a mi comentario. Todos los logros científicos recientes ratifican y demuestran la ausencia de diferencias "naturales" entre los diferentes grupos de la especie humana que son clasificados como "blancos" y "no blancos". Eso está muy bien, pero no impide la existencia de las razas como construcciones sociales históricamente determinadas, siempre ligadas de un modo u otro con la exclusividad y superioridad de unos y la identificación de los otros como seres incompletos o inferiores. De manera que afirmar que "no hay razas" no resuelve en realidad los problemas del racismo.

En un sentido opuesto, la afirmación de que los no blancos "somos diferentes" y debemos centrarnos en obtener un reconocimiento respetuoso de nuestra diferencia me parece profundamente errónea. Es peligrosa en la práctica, porque debilita la pelea por la igualdad real y total —y no meramente escrita en los textos— de todos los cubanos, y hasta parece desistir de ella; y es ambigua, porque en su posición cabe la aceptación tácita de un digno segundo lugar en la sociedad y una ciudadanía de segunda, y las divisiones consecuentes, entre negros y mulatos, y entre los que se reconocen "de color" y los que tratan de "parecerse al blanco", ser aceptados por él y hasta "traspasar la línea del color". Eso se parece demasiado al mundo que conocí en mi niñez. Una cosa es la riqueza maravillosa de las diversidades —y de identidades que existen inscritas en otra más general—, y otra es refugiarse y resignarse a la manipulación practicada y teorizada desde hace algunas décadas, mediante las cuales se les reconocen a los que hasta ayer fueron colonizados, explotados, oprimidos y tenidos por seres inferiores sus identidades como grupos, y hasta se les celebran, para que se solacen y se conformen con ellas, en vez de pretender su liberación de todos los yugos y una vida más plena, en la que sean dueños de sus países y de su trabajo, participen como iguales en la dirección política de la sociedad y tengan acceso al bienestar y las conquistas que ya existen en el mundo.

En los últimos quince años ha ido creciendo la percepción del problema del racismo y el rechazo de sus graves implicaciones entre sectores cada vez más amplios y en un buen número de instituciones, o la admisión al menos de la existencia del problema por parte de otros sectores y organismos sociales y estatales. Pero todavía estamos lejos de una conciencia nacional fuerte, generalizada y decidida a actuar en consecuencia. Por otra parte, los problemas del racismo en la Cuba actual han sido abordados en numerosos espacios de debate y algunos de estudio, y hoy contamos con una buena cantidad de documentos e investigaciones sobre el tema, especialistas y activistas habituados a tratarlo y propuestas concretas de un notable valor. Sería lógico agregar que están en marcha una estrategia y un gran número de acciones y campañas para enfrentar, batir e ir erradicando esta lacra tenaz de nuestra sociedad. Pero eso no está sucediendo.

En la identificación, el rechazo y la lucha contra el racismo existen profundas diferencias entre la posición oficial de la Revolución y las ideas que manejamos nosotros, por una parte, y lo que sucede en la práctica social, por la otra. ¿Por qué los debates del VI Congreso de la Uneac, de 1998, y los innumerables eventos, divulgaciones y conocimientos adquiridos sobre este tema que se han acumulado hasta hoy no se generalizan, y no llegan a convertirse en sentido común? ¿Por qué no resulta posible llevarlos a la escala de la sociedad? ¿Por qué no pueden llegar a ser la guía de las instituciones de la sociedad cubana y de las prácticas de nuestro Estado, para escolarizar e instruir a la población, para tratar a los ciudadanos, para divulgar y para entretener educando, para convertir en una regla el repudio al racismo y la exaltación de una unidad nacional más plena, justa y real? Por ejemplo, repetimos hasta el cansancio que nuestro inmenso sistema educacional no es un lugar de formación antirracista, y que nuestro amplísimo sistema de medios de comunicación, totalmente estatal, tampoco lo es.

Llega a ser agobiador el carácter impenetrable de muchos medios respecto a estos problemas, sus manifestaciones y las propuestas antirracistas que se les hacen. Nunca es la negativa la respuesta, sino el silencio, la práctica de no hacer caso. No dudo que concurra la soberbia en funcionarios que están acostumbrados a no ser objeto de ningún control popular efectivo, y el racismo solapado o vivido sin mayor conciencia por los que lo practican o lo permiten, pero también forma parte de esta situación la gigantesca inercia que corroe muchos campos de la vida del país. Estos dos últimos males afectan a un enorme número de personas que no entienden las realidades del racismo y la necesidad de combatirlo, personas que podrían ser decisivas, si se sumaran a esta tarea.

No procede detallar aquí las acciones, la estrategia que las articularía y la política en las que unas y la otra se inscribirían.

Pero quiero agregar algo que me parece muy necesario para que esto no se reduzca a un diálogo de sordos, aunque sea un paso de avance respecto al silencio o las quejas de pequeños grupos. Debemos fomentar las acciones y la concientización antirracistas en los ámbitos más diversos de la sociedad, sin esperar todo de la acción y las directivas del Estado, debemos presionar, lograr que actúen juntos los que en el Estado y la sociedad estén dispuestos a hacerlo, debemos considerar este problema como lo que es, un campo de lucha en sí mismo y un campo de lucha en la pugna cultural tremenda entre el socialismo y el capitalismo que se está ventilando en nuestra patria.

Las diversidades sociales siguen ganando peso en Cuba, mientras se mantiene la unidad política. ¿Cómo lograr que unas y la otra no se contradigan, sino que se complementen y se refuercen? Si miramos la específica cuestión de las razas y el racismo desde esa perspectiva política más general, pueden entenderse mejor sus problemas y los caminos de su superación. El racismo hoy, con todo y sus antiguas raíces, está ligado a los efectos que ha tenido la crisis desatada en los años noventa sobre los grupos menos favorecidos de nuestra sociedad, pero también está ligado a la disgregación social, al apoliticismo, a la conservatización de la vida social y otros fenómenos desplegados en estas dos últimas décadas. El racismo favorece a las necesidades ideológicas de aquellos que aspiran a un regreso mediato al capitalismo, porque es una naturalización de la desigualdad entre las personas, algo que nadie admitiría en la Cuba actual si se planteara respecto al orden social en general. Por tanto, con mucha más razón tenemos que desarrollar y hacer triunfar el antirracismo: la lucha por la profundización del socialismo en Cuba está obligada a ser antirracista.

Estimular el diálogo serio y sereno*

*Carlos Manuel de Céspedes García-Menocal***

A modo de introducción: las preguntas

Hace pocos días el amigo Feraudy solicitó mi contribución para un boletín especial de la Uneac acerca del racismo en nuestro país. En principio, la contribución debería sostenerse sobre el siguiente cuestionario: *¿Cómo valora usted la participación de los africanos y sus descendientes en el proceso de conformación de la nacionalidad y la cultura cubana? ¿Cuáles fueron sus principales aportes? ¿Cuál es su percepción acerca de la historia del racismo en Cuba? ¿Considera usted que aún subsisten rasgos de discriminación racial y prejuicios raciales en nuestra sociedad? —de existir, ¿cómo se manifiestan? ¿Cómo piensa usted que debemos enfrentar los nuevos desafíos a favor de una sociedad más inclusiva y de menos o ninguna discriminación por el color de la piel?*

El que escribe es un sacerdote católico y sus criterios personales sobre el racismo son coherentes con la fe que profesa. Sin embargo, sabiendo que no todos los lectores participan de esa misma fe y que no todos los cristianos —en el ámbito del racismo— ponen atención a la coherencia imprescindible, trataré

* Entrevista realizada en septiembre de 2011.

** (1936-2014). Vicario general de la Arquidiócesis de San Cristóbal de La Habana y una de las figuras más activas de la Iglesia Católica y de la cultura cubana. Publicó los libros *Pasión por Cuba y por la Iglesia. Aproximación al presbítero Félix Varela* y *Érase una vez en La Habana.*

de responder sin contradicciones con esta, pero sustentando mis textos en la racionalidad occidental contemporánea, ella, en sí misma, penetrada en diverso grado por el cristianismo que la acunó. Me parece que esta opción y el lenguaje que la expresa resultarán así más comprensibles por los lectores medios. Lo cual no quiere decir que pretenda el asentimiento de todos. Sobre este tema, como sobre casi todos los componentes de nuestra identidad nacional, topamos sin cesar con lo pluriforme y hasta contradictorio. Esto no debería, en ningún caso, fomentar exclusiones, sino estimular el diálogo serio y sereno.

Respuestas in solidum *y observaciones referentes*

Me parece, por otra parte y entrando ya en materia, que la respuesta a estas y otras posibles preguntas sobre la cuestión racial, supone siempre la comprensión previa del origen de la presencia del grupo o los grupos sobre los que se cuestiona. En nuestro caso, entiendo que la cuestión racial contemplada es la que se deriva de la presencia de africanos y de sus descendientes, en un marco que fue, en un tiempo, mayoritariamente, hispánico; la cuestión racial, en esta ocasión, no parece contemplar la población aborigen que, aunque escasa, se mantuvo a pesar de las nuevas condiciones de trabajo del régimen colonial y de las nuevas epidemias insulares causadas por los virus europeos para los que "los indios" no tenían anticuerpos. Tampoco contemplo ahora la existencia de otros grupos raciales y/o culturales poco numerosos o menos significativos, como los chinos y los "moros".

Una cosa es que el grupo "emigrante" —cuya calidad existencial, posibilidad de integración etc., se desee esclarecer—, haya llegado a la nación a la que nos referimos, Cuba, como emigrantes políticos y/o económicos, desde una evidente analogía racial y cultural; otra es que haya sido traído con violencia, como fuerza laboral, en régimen de esclavitud, y no solo con un color de piel distinto, sino con tradiciones lingüísticas, culturales, religiosas, etcétera, absolutamente distintas a las que primaban en la Isla, que eran las tradiciones cristianas europeas y, precisamente, españolas, nacidas de la reconquista y de la "contrarreforma" o, mejor dicho, de la reforma católica.

Para los africanos recién llegados a Cuba en las horrendas condiciones de esclavitud, contradictorias con el cristianismo predicado, la visión de esa nueva cultura tiene que haber sido muy negativa. En las primeras generaciones, no podía haber sido de otra manera. El sueño africano, en Cuba, era el regreso a África y, ante la imposibilidad de lograrlo, la fuga del amo y el apalancamiento y, en los casos extremos, el suicidio.

A pesar de ello, desde las primeras generaciones, por la fuerza de las circunstancias, empezaron a tener lugar los primeros aportes de la cultura africana a la cultura hispana, y viceversa, embriones de la cultura cubana que nacía de forma todavía inconsciente. Muchos de los colonos eran hombres sin mujer y, en las africanas, primero esclavas y luego ya libertas, encontraban el sosiego para sus apetencias sexuales. De esas uniones casi siempre ilegítimas pero reales, nacieron nuestros primeros mestizos, mulatos y mulatas, que ya crecieron en Cuba, entre blancos españoles, africanos y aborígenes de los primeros siglos de colonización. Además, la "tatas" o "nanas" de muchos niños blancos eran esclavos y esclavas negras y esto no pudo dejar de tener consecuencias, que van desde la manera de hablar y de contonearse, hasta la incorporación de creencias religiosas. Necesariamente veían las cosas de otra manera: diversa tanto de los blancos europeos, como de los negros africanos originales; ellos mismos eran también vistos de otra manera. Me parece que la primera constatación de un aporte africano consciente y positivo la podríamos hacer en la cocina. Algunos pueblos africanos habían llegado a desarrollar una cocina bastante apetitosa y a los esclavos y esclavas se les encomendaban el fogón y la pitanza, con los ingredientes que tuvieran a su disposición. Con el tiempo ese aporte que debe haber sido sumamente primitivo en los orígenes de la colonización, llegó a constituir una cocina ya cubana, ni española ni africana, y suficientemente refinada.

Con la vida en general, sin excluir su dimensión religiosa, pasó lo mismo que con el sexo y la cocina. La realidad se fue imponiendo bastante rápida y fogosamente. Los esclavos eran obligatoriamente "evangelizados", de manera —en términos generales— muy superficial y en la práctica reducida a la participación en ritos incomprensibles. La consecuencia inmediata fue la aparición del sincretismo religioso entre el catolicismo español de la época y las religiones africanas propias de los diversos grupos de esclavos (no todos tenían la misma procedencia cultural africana). Durante los últimos siglos, el fenómeno del sincretismo ha crecido en número y en elaboraciones y, ni en Cuba ni en otros países que tuvieron inmigraciones análogas, este problema ha sido satisfactoriamente resuelto. No es este el espacio para el tratamiento respetuoso, con seriedad, de asunto tan complejo. He abundado en este tema en otras ocasiones. Básteme afirmar ahora que, a mis ojos, es un fenómeno ambiguo. Esta realidad religioso-cultural no se debería ignorar, ni condenarla globalmente, ni debería promoverse de manera silvestre, a veces con evidentes finalidades que no son ni culturales, ni religiosas. Estas actitudes extremas y, sobre todo, las que son ajenas en sí a la naturaleza del fenómeno religioso y cultural, redundarían en un fuerte daño a la cultura de nuestra Nación. Lo que lamentablemente no es una hipótesis: es una realidad.

Apunto solamente —requeriría una consideración más amplia— que en las estrategias con respecto al racismo subsistente y al sincretismo floreciente, sea desde la mirada cultural, sea desde la puramente religiosa, deberíamos estar de acuerdo en no retrasar los caminos del pueblo cubano hacia un primitivismo irracional, sino a promover la progresiva modernidad, el reino de la razón y de la luz, oscurecido por muchas de estas "prácticas" sincréticas, que dependen de situaciones anteriores a la modernidad cultural y religiosa.

No es necesario abundar, ya que resulta evidente, que uno de los aportes más evidentes de las culturas africanas en Cuba tiene que ver con la música. Al parecer, desde muy temprano, en el período colonial, tuvieron lugar esas simbiosis entre melodías y ritmos de origen español y los de origen africano. Se matrimoniaron muy pronto las cuerdas de la vihuela y los cueros del tambor. Lo que conocemos hoy como música cubana típica, popular y culta, es descendiente de esas primeras imbricaciones. A mi entender, el fenómeno en sí es riquísimo, pero —naturalmente— los resultados no siempre resultan exquisitos. Los hay de muy diversa calidad. En este ámbito y con los mismos términos, podríamos considerar la pintura y la literatura.

Un tópico más difícil de discernir para un profano en esa disciplina, como lo soy yo, es la cuestión genética. Algunos biólogos, pocos hoy, afirman que el mestizaje de las razas tiene consecuencias negativas, tanto en el orden físico, como en el afectivo y el intelectual. Hoy, la mayoría de los estudios que he leído sobre el tema se pronuncian en sentido contrario, pero me parece que progresivamente señalan las cautelas imprescindibles. En el sentido físico, al menos en el caso nuestro, el mestizaje hispano-africano ha producido y produce ejemplares sorprendentemente bien desarrollados y hermosos. Las "deficiencias" que se podrían señalar dependen no del mestizaje como tal, sino de las condiciones de alimentación, atención médica, educación, etcétera, hoy en gran medida superadas. En cuanto al orden afectivo e intelectual, asumo criterio análogo: cuando se dan deficiencias, no se deberían achacar al fenómeno del mestizaje en sí, sino a las condiciones sociales y económicas, imbricadas en la cuestión. Tenemos demasiados ejemplos, con nombre y apellido, de personas mestizas, deslumbrantes en algún sector de la cultura.

En este ámbito de los aportes posibles del mestizaje bien orientado, no puedo dejar de incluir una cierta "sabrosura" de temperamento, frecuente en países —como el nuestro y como Brasil—, en los que la cultura es mestiza, en los que lo mestizo influye no solo en quienes ostentan este calificativo, sino en toda la población. Si la cultura de un país o región es mestiza, todos los que participan de ella son culturalmente mestizos, aunque su piel sea blanquita como el coco, y esta cualidad tiene una hondura mucho más rica que la del solo color de la piel, pero no se debería dejar de prestar atención a excesos retardatarios, a esos que no contribuyen al crecimiento espiritual de nuestro pueblo, sino a su decrecimiento.

Hoy la valoración positiva del mestizaje está en alza en buena parte del mundo, también entre nosotros, pero no pretendamos que un juicio sobre el tema, en los orígenes de la situación que lo ha creado, haya podido incluir todos sus componentes con los matices adecuados. En Cuba, hasta no hace demasiado tiempo, hemos sido testigos de un racismo muy extendido, tan fuerte, como irracional. Lo contrario era excepcional. Creo poder afirmar que, entre nosotros, en este tema, como en tantas otras realidades, los cambios fundamentales en una línea positiva, han dependido de la realidad revolucionaria de 1959, o sea, de los cambios educacionales y sociales que esta trajo consigo. Podemos señalar antecedentes positivos desde siempre, pero como ejemplos de excepcionalidad, no como tendencias a la generalización. Lo que sí es el caso, me parece, desde 1959.

¿Subsiste el racismo en Cuba? Pues creo que sí, pero me parece que la tendencia es hacia el decrecimiento progresivo. Los cambios sociales participativos, la educación eficaz y una genuina actitud evangelizadora por parte de la Iglesia deben contribuir a la desaparición de estos rezagos de tan doloroso pasado. Medidas policiales y/o administrativas poco ayudarían: sería acicate de veneno, no de salud social.

Aspirar a un sentido más alto de la justicia*

*Eusebio Leal Spengler***

A menos de tres meses del triunfo revolucionario de 1959, Fidel señaló: "Quizás el más difícil de todos los problemas que tenemos por delante, quizás la más difícil de todas las injusticias de las que han existido en nuestro medio, sea el problema que implica para nosotros el poner fin a esa injusticia que es la discriminación racial; aunque parezca increíble". En época reciente, el General Presidente ha calificado como una vergüenza el insuficiente avance en esta materia en 50 años de Revolución. ¿Cuál es su percepción de estas dos formulaciones realizadas por los máximos líderes de nuestra Revolución?

Las expresiones de Fidel en aquel momento pienso que se ajustan exactamente a una gran verdad: al triunfo de la Revolución la discriminación era tremenda. Por ejemplo, en provincias del interior del país, en sus ciudades capitales, las personas de una raza y otra, blanca o negra, o como se decía

* Entrevista realizada en septiembre de 2011.

** (1942). Historiador de la ciudad de La Habana. Doctor en Ciencias Históricas y Maestro en Ciencias Arqueológicas, Director del programa de Restauración del Patrimonio de la Humanidad, se ha distinguido de manera particular por la conducción de las obras de restauración del Centro histórico de La Habana, declarado por la Unesco en 1982 Patrimonio de la Humanidad.

entonces, las personas blancas y las de color, tenían que marchar por sendas diferentes. Lo cierto es que ningún club ni ninguna sociedad aceptaban a personas de la raza negra con mil pretextos, aun personas muy encumbradas no pudieron traspasar esas fronteras. Los cubanos negros crearon entonces sus asociaciones propias como el Club Atenas, una institución respetable y culta que honró mucho y se honró mucho con una gama extraordinaria de talentos y personalidades, desde libertadores hasta poetas, escritores, artistas, letrados.

El primer sacerdote negro se consagró en La Habana en el año 1947. Lo común era que las personas negras velasen sus muertos en la funeraria Marcos Abreu de la calle Infanta; en ningún banco ni lugar que se dijese respetable se aceptaba a ninguna persona de la raza negra con mil pretextos; en los apartamentos de las nuevas urbanizaciones los encargados tenían la instrucción de decir que todo estaba alquilado, pues era absolutamente inconstitucional imponer trabas raciales para este tipo de negocios. En ninguno de los grandes colegios católicos había niños negros y se justificaba argumentando que era para evitarles sufrimientos y penas discriminatorias. Solo eran recibidos en las escuelas parroquiales.

Esta era la verdad y son innumerables los ejemplos, todo lo cual quiere decir que cuando Fidel pronuncia sus palabras respondían a una dolorosa y cruel realidad. Faltaba todavía mucho tiempo para que se cumpliese un siglo de la abolición de la esclavitud y cuando una sociedad ha padecido una ignominia largamente, demora en repararla; queda no solamente en formas legales y jurídicas que en Cuba estaban superadas, sino también, en las costumbres y la mente de los individuos. Es en la mente de los individuos donde está ahora.

Las palabras del General Presidente son fuertes, llamando la atención sobre un tema que existe en la conciencia de los individuos hoy. Si observamos la composición de la Asamblea Nacional del Poder Popular, reconoceremos en ella a una gran parte de la sociedad, representada casi en su totalidad. Y digo casi en su totalidad porque otras trabas y discriminaciones se vienen venciendo también. Es muy difícil para algunos hacer públicas y para otros asimilar ciertas características de los individuos, opciones muy personales o elecciones de carácter íntimo que a determinadas personas les resultan hasta escandalosas.

Aunque la sociedad y sus estructuras de poder son hoy más representativas de la real diversidad que convive en nuestro país, no hemos llegado todavía a un momento, diríamos ideal o cercano a nuestras aspiraciones de conquistar toda la justicia. Sin embargo, no podemos cometer el error de ver el sentimiento de aquellos que se sienten discriminados y nunca discriminadores. Debemos pensar como aseguraba José Martí en que "cubano es más que blanco, más que mulato, más que negro" (...) Es ese o el concepto al que hay que arribar felizmente y al que aspiramos.

No olvidemos que a lo largo de toda la historia de Cuba, no ya durante las guerras por la independencia de la metrópoli colonial, sino también en la República, figuras muy importantes de la raza negra lograron vencer a sangre y fuego la exclusión y ocuparon altas representaciones nacionales, como Jesús Menéndez, líder indiscutible; Salvador García Agüero, brillante legislador y uno de los más grandes oradores cubanos; Blas Roca quien era mestizo y también fue legislador; no olvidemos que Lázaro Peña fue elegido por la clase trabajadora como su representante a la Cámara; pensemos en Martín Morúa Delgado, defensor de una ley muy importante que evitaba la creación del partido de razas al estilo del sur de los Estados Unidos; recordemos al insigne Juan Gualberto Gómez, el gran amigo de Martí, quien fue un ilustre parlamentario (...) y podría citarte a muchos más.

Hay que tener mucho cuidado en caer en alguna exclusión o en posiciones extremas y buscar ante todo la naturaleza aglutinante del sentimiento nacional cubano. Cuando, por ejemplo, hablamos de Las morenas del Caribe, por supuesto que me siento representado, pero no deja de ser un término hasta cierto punto discriminatorio, porque entonces otra parte de la población tendría derecho a decir: hacen falta tres blancas en ese grupo para que sea representativo de Cuba y eso no es posible; o Cuba es como es o no es, o la aceptamos como es o no es.

En esta perenne evolución de las ideas no solo tenemos que combatir la discriminación racial como una forma denigrante y monstruosa de un pasado, si se quiere tan reciente. Hay que abatir todas las discriminaciones, absolutamente todas, las de carácter religioso ha costado mucho trabajo vencerlas en un país de tan amplia espiritualidad; es también en la lucha por la igualdad de géneros donde el país avanzó de forma resuelta; y también en la igualdad en cuanto a la opción sexual, en mi opinión, esa discriminación por opción sexual ha sido tan fuerte, violenta y excluyente que habría que preguntarse cómo han podido vivir y soportar una sociedad que tan cruelmente los ha discriminado; otro tema es la singularidad de las personas que sufren también por su condición de minusválidos, por cualquier matiz de su carácter. Creo que habría que tomarse el tiempo de una conferencia solamente para responder a esta primera pregunta que me formulas, si pensamos en las tan variadas, evidentes o sutiles expresiones discriminatorias que pueden pervivir en nuestra sociedad, a pesar del camino andado.

Al observar los proyectos, yo no los llamaría humanitarios, preferiría calificarlos de justicia social, que usted y su equipo vienen desarrollando con toda la población que habitaba y habita en el denominado Casco Histórico donde el fenómeno "racial" no tiene ninguna connotación, pues al parecer no es este el principio que predomina, sino el trato justo y equitativo a todos cuantos lo necesitan. Pienso que tal vez, este sea una buena pauta a tener en cuenta en la lucha por combatir discriminaciones y prejuicios heredados del pasado colonial y neocolonial. ¿Cómo concibe usted que se debe combatir lo que nuestro Comandante en Jefe ha definido como la más difícil de todas las injusticias en nuestro medio?

En sus esclarecedoras palabras pronunciadas durante el VI Congreso de la Uneac en 1998, Fidel reflexionó sobre la naturaleza compleja de un tema imposible de resolver por ley, pues su esencia es mucho más profunda. En esa ocasión nos alertó: "Parecía que dándoles oportunidad a todos, abriendo los clubes aristocráticos a toda la población, el acceso a las playas, el acceso a las escuelas, el acceso a las universidades y a todo, era el camino por el cual comenzaría a desaparecer la discriminación. Pero el problema es mucho más serio. Creíamos que, incluso, desapareciendo las clases privilegiadas, los explotadores y los ricos, iba a desaparecer la discriminación racial y se iba a crear la igualdad de oportunidades, la verdadera igualdad de oportunidades para todos".

La discriminación racial pasa también por la de la subjetividad del individuo, su sustrato cultural, la educación recibida, la influencia social y familiar. Cuando una joven negra llega a nuestra casa dotada de todas las cualidades y va a ser la amada de un hijo nuestro, nos ponemos a prueba. Cuando una hija nuestra es pretendida por un educado y correcto joven blanco o por un correcto y educado joven negro o mulato como quisiésemos que fuese correcto y educado cualquier pretendiente, nuestra conciencia se pone a prueba. Cuando llega un ser humano cualquiera independientemente de su género, de su raza, a trabajar en una oficina o a registrarse en una bolsa empleadora, ahí se pone a prueba la conciencia de quienes tienen no ya que anteponer, sino sencillamente, evidenciar una conciencia equilibrada y correcta de lo que tienen que seleccionar.

Hemos llamado humanitarios a los servicios de la Oficina porque considero que nada humano debe sernos ajeno. Debemos enfrentar y solucionar enormes problemas humanos, no solamente la cuestión racial que no está resuelta, sino también los profundos desequilibrios en la sociedad. Son grandes vacíos y lagunas que tratamos de llenar; lagunas de soledad de los que por determinadas razones están solos aquí. Has citado a La Habana Vieja, un territorio donde se manifiesta una composición social muy particular. No olvidemos que mucho tiempo atrás los nobles se apartaron de este sitio y sus palacios fueron subarrendados a las clases populares. Entonces, este es un barrio popular donde la gente se trata de ventana a ventana, de tú a tú conversan en la calle, en las plazas, en torno a la fuente, en medio de la casa apuntalada, la bodega a donde van a comprar lo que les toca o lo que pueden. Son muchos los problemas acumulados. Por eso me complace mucho que todo lo que hagamos exprese el sentimiento de la Revolución de justicia primero y caridad siempre. No me voy a avergonzar de la palabra caridad porque la caridad no es la limosna. La caridad todo lo comprende, todo lo explica, trata de llegar a todos los corazones, es intensamente solidaria, es intensamente humana, pero debe prevalecer ante todo el sentimiento de la justicia como el bien al que todos debemos aspirar, en todos los órdenes.

La Revolución ha reparado mucho, mucho, mucho y fue ella la que arrebató el látigo de la mano del mayoral desde el 10 de octubre de 1868 hasta hoy. Han sido las vanguardias revolucionarias de la clase trabajadora, de la intelectualidad y del pueblo cubano las que han luchado contra todas esas formas de discriminación que en muchas conciencias prevalece todavía, en muchos hipócritas sobre todo y en muchos que manifiestan su discriminación en una u otra dirección, de las formas más sutiles.

He conocido a numerosos compañeros a lo largo de la Revolución que con un gran sentido de su libertad escogieron compañeras o compañeros que eran de una raza diferente y lo hicieron con una extraordinaria dignidad. Esa es la expresión, a mi juicio, de lo más avanzado del pensamiento antirracista: cuando uno acompaña a la persona a quien ama, y no la exhibe como un trofeo, ya sea blanca o sea negra.

Estando tan cerca de una de las más memorables muestras del aporte africano a la cultura cubana ¿cómo valora usted esas contribuciones y cómo deben ser registradas en la memoria y en el acontecer histórico y educativo de las nuevas generaciones?

Como la valoraron los grandes intelectuales, hombres y mujeres de Cuba que, por cierto, eran personas que pertenecían a clases elevadas y blancas, Fernando Ortiz, su discípula Lydia Cabrera. Ellos hicieron una poderosa aportación a la riqueza del pensamiento nacional, como la han hecho más recientemente Natalia Bolívar, Rogelio Martínez Furé o Miguel Barnet. El ideario que ellos muestran nos permite apreciar esa grande y extraordinaria aportación cultural que supone el encuentro de las culturas, las religiones, las razas, en definitiva la raza es una sola. Estamos ante el engaño de las razas, como dijo el gran sabio cubano. La raza es una sola, la raza humana; la cultura es una sola, la cultura de la humanidad. Si lo entendiésemos así, seríamos más felices, habrían sido más felices nuestros antepasados y serán más felices los hombres del futuro.

A veces nos deslumbramos observando a sociedades en las cuales, aparentemente, con el triunfo de un hombre que representa una raza o un matiz, ha triunfado necesariamente la justicia, y nos equivocamos. Es muy perjudicial ese juicio porque se aparta de la realidad objetiva.

La verdad está en la conciencia de los individuos y hay que aspirar a una conciencia más elevada, a un sentido más alto de la justicia y al mismo tiempo, a exaltar nuestros ejemplos y paradigmas. Antonio Maceo era nieto de un valenciano y una negra y fue el paradigma de la lucha contra la discriminación en todas sus formas. Se opuso siempre a la guerra de razas. En una carta memorable que José Luciano Franco cita en el epistolario de Antonio Maceo se consigna cuánto sufrió por el hecho de que al terminar la Gran Guerra, siendo él la primera figura, se demorase en llegarle la convocatoria para el segundo llamado porque muchos cayeron en la trampa de decir que si venían los libertadores que como él no eran blancos, España tendría razón al plantear que se trataba de una guerra de razas. Espejismos y grandes mentiras con las que el colonialismo envenenó la mente de los hombres.

Te pongo un ejemplo, cuando estalló la Guerra del 68 Carlos Manuel de Céspedes, al tomar la ciudad de Bayamo, convenció personalmente al mariscal de campo del ejército español, general Modesto Díaz —quien era dominicano—, de que pasara a las filas cubanas. En ese momento, casi todos los dominicanos que estaban en Cuba tenían experiencia militar y pasaron a formar parte del Ejército Libertador. Paradójicamente, entre los que quedaron del otro lado, el de más alta graduación que llegó a ser general de división del ejército español, constelado con todas las condecoraciones, fue el general negro Eusebio Puello.

La historia es de una riqueza tal que nos demuestra que no podemos guiarnos por espejismos. El colonialismo trató de agitar el fenómeno de razas y habían unidades de combate formadas por negros leales a la corona española —están hasta en fotografías—; las leales tropas negras. Habían además, batallones de pardos y morenos.

Durante la toma de La Habana por los ingleses los esclavos negros que habían formado parte de la artillería que defendió la ciudad de La Habana, reclamaron al rey Carlos III su libertad por la lealtad demostrada. Entonces, te reitero, no nos podemos guiar por espejismos solamente, tenemos que ir a buscar realidades. Existen discriminaciones económicas, que son avasalladoras y como te decía, discriminaciones de todo tipo. Eso no le resta importancia a la gran lacra que es la discriminación racial, sobre todo en un país que viene de la esclavitud. Pensemos en otras discriminaciones contra etnias o pueblos, como por ejemplo, los chinos que emigraron a Cuba. Venían en su condición de culíes o contratados chinos varones, pero no chinas mujeres. Sufrieron todo tipo de chistes soeces, todo tipo de humillaciones; hacinados en barracones.

Finalmente lograron encontrar mujeres que los amaron dentro de la sociedad cubana, y se formaron entonces figuras que son tributarias o son como los grandes ríos, hijos de ríos que vienen como torrentes a sumarse al caudal cultural de la nación: José Luciano Franco, Regino Pedroso, Regino Boti, el maestro César Portillo de la Luz que en el último consejo de la Uneac decía: dónde quedo yo que tengo las tres ascendencias, la española, la china y la africana.

Fue muy dramática la discriminación con los chinos, pero también fue dramática la emigración árabe a Cuba porque resultaron igualmente discriminados los moros que vendían corbatas y telas: ahí viene el moro, decían. ¿Y cómo les llamaban a los judíos? Los polacos. La clase media jugaba con no ir al Casino Deportivo porque habían muchos polacos y eran blancos de ojos azules, sin embargo, eran discriminados, decían que eran apestosos. Lo que debemos es hacer memoria y darnos cuenta de lo que hemos superado como sociedad para entender cuánto más podemos proponernos.

Más recientemente, la contrarrevolución discriminaba a los soviéticos, y alegaban que eran torpes, feos, los bolos, tienen peste, decían así y esos fueron también argumentos de la reacción, los han sido toda la vida, como si bajo el velo de los más delicados perfumes no se ocultasen a veces los más delicados defectos; como si tras los rostros más cuidados, no se parapetase en ocasiones la mayor de las hipocresías.

Por eso prefiero evocar a Nicolás Guillén, el poeta que nos cantó a todos, cuando hablaba de un solo color para definirnos, el color cubano; ese que nos emparenta sin exclusiones y nos define en un mismo archipiélago espiritual e identitario, que nos explica como nación superando cualquier segregación exacerbada sobre todo por quienes siempre albergan la esperanza de vernos desunidos y sojuzgados al poder imperial.

El silencio no puede borrar la realidad[*]

Graziella Pogolotti Jacobson[**]

En su opinión, ¿dónde radica la raíz de la problemática racial en Cuba?

A través de la historia, el racismo ha sido un modo de garantizar el poder hegemónico de un grupo o clase social. Una vez sembrada, la semilla sigue su desarrollo orgánico más allá de las circunstancias que la engendraron, asimilada por víctimas y victimarios como un valor consagrado por la tradición, trasmitido por vía familiar como componente irracional de un inconsciente colectivo. Para extirparlo se requiere el diseño de una estrategia dirigida a divulgar las causas que lo originaron y a satanizar sus efectos mediante una acción eficaz centrada en el sistema de educación y en la influencia de los medios de comunicación.

Las prácticas de discriminación deben enrojecer de vergüenza a quienes las ejercen, las permitan o las difundan. En Cuba, no arraigó el antisemitismo y las grandes fortunas hebreas se

* Entrevista realizada en diciembre de 2011.

** (1932). Destacada intelectual cubana, promotora de las Artes Plásticas Cubanas, crítica de arte y prestigiosa ensayista. Presidenta del Consejo Asesor del Ministro de Cultura, vicepresidenta de la Unión de Escritores y Artistas de Cuba, y miembro de la Academia Cubana de la Lengua. En su bibliografía se pueden encontrar los libros *Examen de conciencia*, *El camino de los maestros*, *El oficio de leer* y más recientemente *Dinosauria soy (Memorias)*. En 2005 recibió el Premio Nacional de Literatura.

integraron a la alta sociedad. En cambio, a pesar de su poder y de su riqueza, el dictador Batista no pudo franquear las puertas del Havana Yatch Club. La constatación de esa diferencia contribuye a despezar las causas de un comportamiento caracterizado fundamentalmente por el prejuicio contra el negro.

Los griegos llamaban bárbaros a los extranjeros. Resemantizado el término, "barbarie" devino la contrapartida de "civilización". De ahí surgió un ideologema convertido en argumento para la discriminación y en ratificación de la inferioridad de los negros, quienes pagaban con la esclavitud el derecho a cristianizarse y a acceder a la cultura, según el modelo europeo. La trata modificó la composición demográfica de la Isla y el precedente de la Revolución haitiana generó el temor al peligro negro. Así se definía como "problema negro" lo que, en realidad, había sido "problema blanco".

El Ejército Libertador fraguó una situación inédita. Blancos, negros y chinos compartieron peligros y penurias. Parecían sentarse las bases de una República "con todos y para el bien de todos". En sus colaboraciones para la prensa norteamericana, José Martí subraya el hecho revelador de una diferencia esencial entre el proceso histórico de Cuba y el de su vecino del norte. Sin embargo, el advenimiento de la República determinó un retroceso en el plano de las relaciones interraciales. El color de la piel calimbó nuevamente a soldados y oficiales del Ejército Libertador. Sin acceso a la tierra ni a los puestos de trabajo, reducidos a las tareas más duras y peor remuneradas, constituyeron un sector de la población marginado por una sociedad excluyente.

La Revolución introdujo cambios sustanciales. Desaparecieron los espacios compartimentados según el color de la piel. El sistema nacional de educación eliminó la segregación racial y se amplió el acceso a las profesiones liberales. Desaparecían muchas de las condiciones objetivas que favorecieron el racismo.

La acción internacionalista de los cubanos intervino en África en lo militar y en lo civil. En el plano de la cultura, las instituciones concedieron visibilidad significativa a las tradiciones de origen afro. No pudieron superarse del todo las desventajas acumuladas a través de un largo proceso de desigualdad social y permanecieron soterrados los rescoldos de una herencia de prejuicios. La crisis económica de los noventa acentuó las diferencias. Condicionó un despertar de los peores rasgos de la antigua memoria.

¿Cuál fue la actitud de la intelectualidad cubana frente al racismo, la discriminación racial y los prejuicios raciales durante la época de la República?

Los sectores más avanzados de la vanguardia intelectual contribuyeron a delinear un cambio de óptica en relación con el tema racial. Las propuestas de cambio se manifestaron en la renovación de los lenguajes artísticos y el modo de entender los rasgos característicos de la nación cubana. El concepto de civilización, contrapuesto implícitamente al de barbarie, se desplazó a favor de una noción más contemporánea de cultura. En interacción con el conjunto de la sociedad era un ingrediente inseparable del ajiaco en lenta cocción. En su evolución desde el hampa afrocubana, la obra de Fernando Ortiz impulsa un vuelco en el modo de mirar las cosas. Los estudios folklóricos se abren paso. En ese redescubrimiento de la realidad participan la llamada poesía negrista, la experimentación musical de Roldán y Caturla, textos como *¡Écue Yambá-O!* de Carpentier y la construcción de una poética inspirada en la cosmogonía llegada de África por Wifredo Lam.

Le he escuchado en dos ocasiones referirse a la necesidad de "tomar el toro por los cuernos", cuando se ha tratado este tema. ¿Qué quiere decir con ello? ¿Avanzamos o no? ¿Observa usted señales de voluntad política para la erradicación de ese lastre en la sociedad cubana?

Cuando me refiero a la necesidad de "tomar el toro por los cuernos", quiero subrayar que debemos asumir nuestra realidad con todas sus contradicciones, con todo aquello que nuestra cultura arrastra de mala memoria histórica. Reconocer la existencia de una resaca racista entre nosotros, a pesar de los cambios ocurridos en los últimos cincuenta años, es un paso necesario para afrontar la cuestión a la altura de las circunstancias actuales. Se trata, claro está, de un tema delicado por cuanto intervienen en él, no solo elementos del pensamiento lógico sino zonas más oscuras que impregnan el inconsciente. Esas consideraciones han influido en el abordaje cauteloso de un asunto que puede fragmentar la sociedad cubana. Pienso, por lo contrario, que el silencio contribuye a ahondar fisuras. Creo que existe una voluntad política de superar el lastre, tal y como se evidencia con claridad en el comportamiento de los principales dirigentes de la Revolución. Sin embargo, el movimiento es lento, quizá en este como en otros casos, por factores de resistencia inscritos en capas medias en las que sobreviven valores periclitados.

¿Cómo deberíamos abordar esta problemática en el contexto de las nuevas generaciones?

Las generaciones son hijas de su tiempo. Pero no crecen en un recinto amurallado. La memoria cultural, con sus luces y sus sombras, se trasmite a través del entorno: la familia, la escuela, el barrio, el universo sonoro y visual. Por ello, la batalla contra el racismo debe librarse en el conjunto de la sociedad, aunque se establezcan coordenadas mediante una articulación coherente de los planes de estudio en el sistema nacional de educación. Una visión integradora de la cultura nacional debe dosificarse en los programas de historia y en los cursos de español y literatura. Así podrá conformarse una mirada definitivamente liberada de concepciones eurocéntricas, sin renunciar a cuanto hemos heredado de una tradición occidental que también está en nosotros. En similar dirección, los instructores de arte tienen que asimilar la cultura popular viviente en cada región para no producir una falsa dicotomía entre la academia y los contextos sociales.

¿Considera usted que el debate público de este tema pueda dividir la unidad de la Nación?

El silencio no puede borrar la realidad. Las contradicciones latentes deben asumirse desde una verdadera perspectiva dialéctica. De no suceder así, permanecen sumergidas y socavan desde abajo el tejido social, tan subrepticiamente como una filtración de agua en el edificio mejor construido. Tenemos las mejores condiciones para afrontar un debate desprejuiciado, porque nunca se hizo tanto para eliminar las causas objetivas de la exclusión, por mostrar el acervo artístico conservado en el folklore, por garantizar el ejercicio de las distintas prácticas religiosas y por fortalecer los vínculos con África.

¿Qué rol le atribuye a la intelectualidad cubana de estos tiempos, en la lucha contra formas de discriminación y prejuicios por el color de la piel?

La intelectualidad cubana actual ha sostenido la continuidad en la lucha contra la exclusión por el color de la piel planteada por sus predecesores al tenor del contexto de cada época. Antes constituía un sector muy reducido de la sociedad, animado por escritores, artistas, dirigentes políticos y sindicales de posición izquierdista, por algunos periodistas y por un puñado de activistas procedentes de las profesiones liberales, tanto blancos como negros. El espectro se ha ampliado numérica y cualitativamente. Los escritores y artistas se cuentan por centenares. Hay que contar también con los especialistas de las distintas ramas de las ciencias sociales: historiadores, economistas, antropólogos, filósofos. Un repaso a las publicaciones del último medio siglo revela el peso indiscutible de trabajos que permiten analizar el tema desde sus más variadas y complejas aristas. Ciertamente, estos estudios, dado su carácter, tienen circulación limitada. Falta utilizarlos como fuente para divulgar esas ideas matrices a través de medios con mayor alcance popular.

¿A qué le atribuye la tendencia de los medios de comunicación a silenciar este tipo de discriminación?

El silencio de los medios de comunicación en torno a este tema responde a diversas causas. Una de ellas se deriva de la tendencia triunfalista y acrítica que ha dominado por mucho tiempo, respaldada por la cautela ante el despertar de fisuras en la necesaria unidad nacional. No puede descartarse, por lo demás, el desconocimiento del tema con toda su complejidad por muchos actores que intervienen en el trabajo cotidiano de los medios. En este sentido, sería conveniente tener en cuenta para el diseño de una estrategia efectiva, la necesidad de organizar cursos y talleres avalados por el mayor rigor científico para fundamentar las acciones en un conocimiento integral. No descarto con ello la posibilidad de matar al pequeño racista que, sin tener conciencia de ello, sobrevive en nosotros.

En nuestro país se oye hablar poco de la sociedad civil. ¿Piensa usted que esta, aun cuando existe, puede jugar un papel significativo en esta lucha?

No es este el lugar para entrar en el debate de la sociedad civil. Es evidente que existen en Cuba numerosas instituciones revolucionarias no gubernamentales, dotadas de perfil propio. La Uneac es una de ellas y viene abordando el tema desde la década del noventa. Algunas fundaciones como la Fernando Ortiz vienen realizando una labor de singular importancia en este aspecto. Creo que el debate podría abrirse con resultado fructífero en otras asociaciones profesionales existentes en el país, con lo cual se abriría el espectro a una mayor diversidad de puntos de vista.

NI BLANCO NI NEGRO, ¡CUBANO![*]

Leonardo Padura Fuentes[**]

Me aprovecho de lo que considero una amistad para que, a partir de tres referentes: tu barrio, tu imbricación con el deporte y tus vínculos con Mario Conde, me digas tu apreciación acerca de la persistencia de prejuicios y discriminación racial en la Cuba de hoy.

De verdad que es un asunto complejo, puesto que el tema del negro en Cuba fue el gran problema con que comenzó el siglo XX cubano y se inicia el siglo XXI, y continúa aún como un problema por resolver. Porque aunque a partir de 1959 comienzan a verse leyes que eliminan social, política, cultural y económicamente la discriminación racial, el racismo es algo mucho más profundo, cuya existencia en una sociedad no puede determinarse mediante leyes, decretos, ordenanzas —lo que sea—. Y en la cubana existe un componente de racismo no agresivo, no violento, pero latente. Si en los albores del siglo XIX se manifestaba cortándole la cabeza a José Antonio Aponte, y a principios del siglo XX, con la "guerrita de los negros", a comienzos del siglo XXI esta situación tiene

* Entrevista realizada en marzo de 2012.

** (1955). Novelista y periodista cubano, conocido por sus novelas policiacas del detective Mario Conde. Entre sus obras figuran *Pasado perfecto*, *Vientos de Cuaresma*, *Paisaje de otoño* y *El hombre que amaba a los perros*. Obtuvo el Premio Nacional de Literatura en 2012.

un carácter inherente al inicio del siglo, y entiendo que está dado, en lo fundamental, por la posibilidad de acceso del negro a ciertas prebendas, poderes y ventajas económicas aún no resueltas. Por supuesto, existe una historia por la cual el negro, en general, es menos capaz que el resto de la población para alcanzar —dadas sus propias limitaciones— determinadas ventajas; pero esta causa posee razones históricas que le impidieron (durante siete u ocho generaciones) acceder a esas posibilidades culturales, económicas y sociales. Por ello, este resultado que todavía no ha podido concretar esa parte importante de la población cubana.

Acabo de leer que va a realizarse el Censo de Población y Vivienda el próximo año, y su director alega estar casi seguro de que las cifras arrojarán como resultado que: 10 % de la población pertenece a la raza negra; 25 % es mestiza; y el resto (alrededor de 65 %) corresponde a una población blanca. Me cuesta trabajo creer esas cifras porque lo que yo veo en la calle no me "machea", pero, bueno, puede que sean ciertas. Si a ese 10 % de población negra se le añade 25 % de población mestiza, resulta un 35 %; en esa población mestiza se halla un blanco achinado, es decir, que no se trata, solo, de que seas más o menos negro. En mi caso, por ejemplo, somos tres hermanos: yo soy el más negro de los tres, mi hermano más chiquito es rubio y el del medio es trigueño. Eso ocurre muy frecuentemente en la familia cubana, porque detrás hay unas mezclas que no se sabe de dónde vienen. ¿Somos todos blancos, negros o mestizos?

Este porcentaje de población mestiza tuvo en los años setenta, que fue la peor década del proceso revolucionario, más mala incluso que los años noventa, porque, en los años noventa, te morías de hambre, pero se moría de hambre todo el mundo. En los años setenta, si decías que eras babalawo, si eras católico o si admitías que eras homosexual (casi era lo mismo que ser contrarrevolucionario), significaba tu marginación. Pero esa década fue el momento, con todo lo terrible que fue, en el cual una gran parte de la población negra tuvo, por vez primera, acceso a los estudios universitarios. Ya no eran los negros que venían del período prerrevolucionario, son los socios míos, de aquí del barrio —que habían nacido entre 1955 y 1957—, y ya en los setenta les llega el momento de entrar en la Universidad, y la Universidad se abre mucho, en un momento en que se necesita de mucha gente con estudios superiores.

Esos médicos negros, cincuentones ahora, cuando llegas al hospital te obligan a decir: "¡¿cuántos médicos negros hay aquí?!". Todos estudiamos en la Universidad, pero los negros quisieron estudiar Medicina y Derecho, porque eran los sueños históricos de la familia. Y aprovecharon muy bien la oportunidad. Hicieron estudios universitarios, pero sus condiciones de vida cambiaron muy difícilmente, en muchos casos, siguieron viviendo en malos lugares, con malas condiciones. Eso significó que muchas veces sus hijos, que ahora tienen veintipico de años, siguieron viviendo la marginalidad, se les dio una posibilidad cultural, pero esa posibilidad cultural no estuvo acompañada de una homogeneidad económica para toda la población, ellos venían con desventajas. Estaban corriendo la carrera de cien metros y, a la hora de salir, les decían: "Tienes que correr desde veinte metros más atrás porque naciste en un solar". En fin, todas esas condiciones que mucho tienen que ver en el desarrollo del individuo.

Por ello insisto tanto en el problema económico, porque considero que más que un fenómeno sociopolítico-educacional, la raíz de muchos de los obstáculos que existen con la población negra en Cuba —y que tienen que ver incluso con los niveles de delincuencia y de población penal—, están relacionados con la economía; y ahí es donde entra el problema de los años noventa. En ese momento se destruye la estructura económica —que era virtual, falsa, pero era la que existía en este país— y le corresponde otra vez ser a esa población negra la más "jodida". Es la que, entonces, tiene menos posibilidades de acceso a determinados lugares donde la gente pudo encontrar un "respiro". Crece, de nuevo, su marginalidad; vuelve a ser la menos favorecida con los estudios universitarios. En fin, retrocede con respecto a lo que había ganado la generación de sus padres, esos médicos, abogados, ingenieros negros graduados en los años setenta y ochenta.

No ha existido —creo yo— por parte del Estado y del gobierno cubanos, una política consciente hacia ese fenómeno; entre otras cuestiones, porque, económicamente, no han tenido la posibilidad. Por ejemplo, si se desplomaban cuarenta y cinco techos, el gobierno cubano solo podía arreglar cinco. El problema es que cuando se derrumbaban esos cuarenta y cinco techos, veinticinco —más de la mitad— correspondía al 10 % de esos negros, quienes vivían en las peores casas. Es decir, todo fue concentrándose en ese sector de la población, tradicionalmente menos favorecido, después culturalmente emergente, pero "con los pies de barro" en lo económico. En muchos casos, seguían viviendo en las mismas casuchas y en el mismo solar. Eso permitió que no hubiera ese salto que debió haber dado ese sector de la población. Estimo que se les crearon las posibilidades, pero no el sustento económico para que estas posibilidades llegaran a manifestarse; entiendo que ahí subyace uno de los elementos más importantes con respecto al desarrollo y la presencia sociales del negro en Cuba en el siglo XXI.

En definitiva, insisto en la economía porque lo vivimos, pero si no lo viviéramos, la filosofía que sustenta el sistema social cubano te lo dice bien clarito: La economía determina todo lo demás, y el resto es bobería. Tú piensas según tengas la barriga llena o vacía, porque la economía es la que determina el comportamiento humano. Es más fácil eliminar por ley la discriminación racial que desarraigar el racismo de la mente de las personas.

Esa población negra ha tenido distintas maneras de encontrar sus posibilidades en un país donde siempre ha existido el mestizaje; ha crecido en los últimos cincuenta años y va a seguir creciendo por una lógica casi inevitable, porque las relaciones humanas han ido perdiendo determinados prejuicios, sobre todo en esa generación.

En esta búsqueda de alternativas de los años noventa, aparecieron o se fomentaron, entre otras, dos que tradicionalmente habían sido dominio o lugares referenciales del negro: el deporte y la música. Sigue existiendo en el terreno del deporte una presencia negra, no solo por un problema étnico que tenga que ver con África, sino porque es un espacio por el cual se llega más rápido y se resuelven los problemas más rápido. Por ello, existe esa tendencia —todavía hoy— del negro hacia la música y el deporte. Es evidente, cuando aprecias cualquier equipo cubano de pelota, de voleibol, de atletismo, que hay un importante porcentaje de integrantes de esos equipos que son negros. En el mundo de la música ocurre lo mismo. Y te digo, no creo que eso tenga que ver ya con un problema racial. Si a principios del siglo XIX el africano tocaba tambor, lo hacía porque su padre africano —o él mismo africano— lo había aprendido a tocar en África. A este negro de ahora, no le queda absolutamente nada de aquel africano; ya es un cubano de dos siglos, son dos generaciones. Es muy difícil que este hombre pueda tener una relación directa con el ancestro africano para que esto sea permanente; tiene que ver más con su posición en la sociedad y su manera de enfrentarse a los inconvenientes económicos, que son los decisivos, para que pueda encontrar un espacio de realización. De todas maneras, sería muy interesante saber de esos deportistas, de esos músicos, cuántos de ellos poseen un título universitario o estudios que lo hacen diferentes del negrito boxeador de los años veinte o del músico de cantina, de Benny Moré y de Kid Chocolate.

El otro día, veía al negro Leonardo Pérez en el baloncesto, parece que se va a reventar, pero ese negro es graduado universitario, ¡prieto, "negro-negro"! y cuando lo escuchas hablar, y habla de baloncesto, es una persona que tiene un nivel de referencia y de cultura, ya no es lo mismo.

Cuando oyes hablar al Tosco estás hablando con un maestro de la música, es un hombre que ha hecho estudios musicales muy serios y muy profundos. Es decir, incluso en esos sectores, ya es un negro distinto al que en otra época tuvo una mayor representatividad en esos universos.

El camino hacia una solución definitiva de los problemas del negro que siguen permaneciendo en la sociedad cubana, depende de la capacidad de la sociedad cubana para resolver sus propios problemas económicos. Puedes poner junto a este porcentaje de la población negra un porcentaje de la población más blanquita —más rubia— que te puedas encontrar, con los mismos problemas.

Si extrapolas esto a mi persona, hay un elemento que es importante: Cuando decido empezar a escribir las novelas del personaje de Mario Conde, la primera de todas las versiones era que yo iba a escribir un tipo de novela policiaca cubana que no se pareciera a las novelas policiacas cubanas. Si te lees las seis novelas de Mario Conde, verás —y no es casual— que, en las seis historias, el "malo" nunca es un negro, ¿por qué? Porque una de las cosas que quería cambiar era esa percepción de que el delincuente común era el hombre marginal, blanco o negro. La vida me ha dado la razón.

Cuando en mi primera novela, *Pasado perfecto* (1990-1991), pongo que un viceministro es el tipo que, junto con su jefe de despacho, están robando, y ambos se están enriqueciendo y poseen cuentas financieras afuera, no me dieron ni siquiera una mención en el concurso del MININT. La vida al final me dio toda la razón: en la realidad y en la literatura. Había dirigentes que estaban malversando y mira todo lo que ha pasado. A mí, me interesaba mover la perspectiva de la existencia de una delincuencia desde ese foco, porque antes era lo marginal o lo contrarrevolucionario. Los contrarrevolucionarios eran asunto de la Seguridad del Estado (DSE) y los marginales, del Departamento Técnico de Investigaciones (DTI). Y, en el caso de los marginales, los escritores cubanos ¿qué hacían?, ponían dos blancos y dos negros, para equilibrar.

En el programa televisivo *Tras la huella,* y en otros, existen porcentajes de negros delincuentes que pueden poner o no, lo cual me parece también muy racista. A la vez que llevas esto a cifras y decretos es donde comienza el problema, cuando hay una realidad que nos demuestra que había gerentes blancos y negros robando, viceministros blancos y negros robando. ¿Por qué hay más blancos que negros en eso? Hay más gerentes y viceministros blancos que negros por esa tradicional dificultad histórica de poder llegar a determinados niveles de representatividad, de bienestar económico, de posibilidades políticas.

Traté de hacer eso desde el principio porque sentía —y lo necesitaba— que había que darle a la novela policiaca cubana una perspectiva distinta de acuerdo con lo diferente que estaban siendo la sociedad y la realidad cubanas. De manera que, en ese sentido, Mario Conde nunca tuvo que trabajar preguntando "a ver, prieto"; se trata de un investigador, no es el policía de la calle. Hay —es cierto— un prejuicio acendrado en el policía de recorrido, el que está en la patrulla y el que está en la esquina viendo quién pasa, con respecto al negro, incluso o tal vez más si el policía es negro.

Esto es muy complicado porque hay una serie de factores psicológicos que pueden estar funcionando en las mentes de esas personas. Este policía, lo sabemos, también puede provenir del mundo marginal y está buscando una "vía de escape", y ahí funcionan, psicológicamente, una serie de mecanismos bastante macabros y oscuros que pueden estar relacionados con la reacción de ser más represor del negro que del blanco en su función como policía, aunque cuando se quita el uniforme y se marcha al barrio marginal donde vive —porque tal vez ese negro ni siquiera es de Cayo Hueso, sino de San Pedrito, y está viviendo en un barrio marginal "empatado" con una mujer de La Habana—, ahí se quita el uniforme y se emborracha con esos mismos negros, pero, en su actuar, cuando tiene una posibilidad, una dosis de poder en sus manos, la aplica, fundamentalmente, contra los otros negros.

Esa es una realidad evidente. Las reacciones de otras personas que no responden al mismo patrón, pero que se manifiestan de la misma manera con respecto al negro, entonces, sí tiene que ver con esa posición tradicional que existe desde el siglo XIX, y me refiero a principios del siglo XIX porque es el momento en que los cubanos empiezan a ser cubanos. Antes, Cuba no tenía forma, vivían criollos, vivían negros, vivían africanos, pero Cuba empezó a ser Cuba a partir de ahí. Recuérdate de *La novela de mi vida,* y Heredia y otros que son los primeros en hablar de un término que no existía; la patria no existía porque no existía el Estado, no existía la Nación.

En ese mismo momento, el propio Heredia se percata de que el negro es un problema grave; José Antonio Saco se da cuenta de que es un problema grave; Del Monte percibe que es un problema grave; incluso toda la "sacarocracia" cubana, que era la que podía conseguir la independencia de Cuba en los años veinte y treinta del siglo XIX, se retira de la posibilidad de ese proyecto porque hay un fantasma que era el ejemplo de Haití, en un momento en el cual los censos de la época arrojaban de cincuenta y uno a cincuenta y dos porciento de población negra cubana, más un porcentaje de población mestiza que, en este caso, sí era mestiza, porque como primera generación, era muy visible este mestizaje.

Es decir, ellos sabían que en esa guerra perdían porque cuando la mitad de los negros salieran a la calle se acababa la cosa. O sea, hasta ese punto llega a ser profunda esta relación de la nación cubana con el negro que determina el momento de su independencia e, incluso, determina que cuando se produce la independencia, a finales del siglo XIX, el Ejército Libertador, mayoritariamente, está compuesto por soldados negros y una parte importante de la oficialidad también es negra. Se trataba de un ejército negro en lo fundamental, porque si la mitad o las tres cuartas partes de los oficiales son hombres negros, y las tres cuartas partes de los soldados también, entonces, se trata de un ejército fundamentalmente de negros.

No es simbólico que la primera medida adoptada por Carlos Manuel de Céspedes haya sido abolir la esclavitud y liberar los esclavos. Él sabía que ese era el punto esencial de cualquier acción política en Cuba, que el negro estaba en el centro de la política cubana, económica, social y de la independencia. Por tanto, eso se arrastra como una carga, no diría de prejuicio, ni siquiera puede decirse que es prejuicio, aunque sea prejuicio en su manifestación, porque prejuicio significa un juicio previo. Aquí estamos hablando de cuestiones que están arraigadas; por ello, la palabra prejuicio no me parece la adecuada. Existe algo más profundo que un prejuicio.

En la idiosincrasia cubana hay un elemento muy importante en el componente negro. A Cuba, como es la última colonia de España y, además, es la más rica del imperio, con economía de plantación, los negros procedentes de África eran los más fuertes, más grandes, más bonitos, más potentes, más trabajadores. Si pudiera hacerse —creo que se ha hecho— un análisis de las diferentes etnias africanas llegadas a Cuba, sin duda, ese dato se comprobaría. Ese negro tiene orgullo, un orgullo por el cual le dan muchos palos, pero nunca lo pierde. Ese negro se liga con los blancos españoles, que no son los blancos ingleses y que también son muy orgullosos, aunque no tuvieran demasiadas razones para serlo. Todo esto crea un país orgulloso. En este país, las blancas se creen que son las blancas que mejor están en el mundo, porque, además, como tienen sangre negra, todas tienen el "culo" grande; la negras son las más bárbaras; si es una mulata china, esa "china" es lo más grande del mundo ¡eso no tiene comparación! Ese orgullo que te comento muy caricaturescamente en el caso de las mujeres, lo lleva todo el país. El negro cubano, en su relación con otros negros, se siente superior. Él se considera mejor que un negro africano, puertorriqueño, jamaicano, un negro haitiano.

De modo que se trata de una relación, primero, de la sociedad con respecto a él; segundo, de él con respecto a la sociedad y, por último, de él consigo mismo. Muy complicado el caso del negro cubano. No sé si estoy respondiendo lo que me preguntas, pero es que ese elemento me parece muy importante. La capacidad económica que tenga el país para resolver sus problemas va a ayudar a solucionar algunos problemas que todavía subsisten en torno al negro.

Entiendo lo de la importancia del factor económico, pero hay una fuerza tremenda, un poder tremendo que es el de los prejuicios. Todos los días en la vida cotidiana se observan esos prejuicios raciales, en las interrelaciones personales, en los medios, en la educación, en la cultura. Incluso gente que se considera revolucionaria y está preñada de una fuerte carga de racismo y de prejuicios, no importa el color de la piel que tengan.

Entiendo que, en el tema de los prejuicios, muchas veces, tratando de no caer en prejuicio se cae, justamente, en ello. Cuando te hablaba de esos programas televisivos policiales en los cuales, antes de hacerlos, se discute cuántos negros pueden ser delincuentes y cuántos no, se evidencia un enfoque racista al problema de la delincuencia.

Estimo que arrastrar determinados prejuicios y tratar de resolverlos con medidas que no van al fondo de la cuestión, no es la solución del problema étnico. Por ello, te hablo no tanto de las manifestaciones, sino de las soluciones, y vuelvo a insistir en la solución económica. ¿Cuántos negros tienen una casa de seis cuartos en El Vedado, para alquilar cuatro de esas habitaciones a los turistas? Entonces, los blancos —otra vez— van a tener cada vez más posibilidades y de montar un paladar, y no sé cuántas cosas más... porque se acumuló y, en los años de Revolución —ni siquiera para esta generación de los años setenta que es tan importante, porque llega masivamente a la Universidad—, no se pudo resolver el problema económico.

Nuestro ortopédico, que es "negro-negro", vive ahora en una casita porque hubo una viejita a quien él curó, la cuidó, y la viejita le dejó la casita, que era un pedazo de casa toda hecha "mierda", y el negro, con mucho esfuerzo, hizo su casita. Pero él vivía en la sala de su casa, en el portal de su casa, porque era la misma casa donde vivía con el padre, la madre y los otros cuatro hermanos negros —llenos de negritos—, y donde único pudo vivir fue en el portal; cerró el portal y (...) ¡a vivir en el portal! Es un excelente médico; si vas a la Dependiente y preguntas: "Por favor, quiero ver a un doctor que viene todos los días con corbata", vas a ver al negro, con su corbata. Porque es esa persona que posee gran respeto por su profesión, va todos los días, es el primero en llegar, es quien más trabaja, exhibe sus zapatos lustrosos. Porque, según él, cuando se sienta en la consulta, la presencia física del médico es lo primero que el paciente percibe, y eso es muy importante en su relación con los pacientes. Este ortopédico —recalco— proclama toda una filosofía sobre el aspecto físico. Tiene trescientas corbatas, pero sus condiciones económicas nunca lo acompañaron hasta ahora, cuando pudo hacer su casita. Como ese médico, hubo muchos que han tenido que "inventárselas", pero nunca llegaron a esa "casa de seis cuartos" en El Vedado.

Existe un elemento esencial en el desarrollo no solo de esta población, sino en la eliminación de determinados prejuicios con respecto a este sector de la población cubana. Por supuesto, hay una serie de manifestaciones por parte de la población negra que siguen alimentando esos prejuicios; factores que vienen, justamente, de la acumulación de una posición económica inferior en la sociedad que no han tenido la posibilidad de una movilidad social ascendente y se han quedado siendo, con condiciones mucho mejores que en años anteriores a 1959, pero se han quedado siendo un sector preterido en este período social, hace que muchas manifestaciones tengan que ver con lo marginal, con la violencia, con un comportamiento social inadecuado.

Vivo en este barrio, aquí en esta casa; en ese sentido, tuvimos una gran suerte. Hay dos elementos en mi formación humana, personal, que son muy importantes. Primeramente, mi padre es masón desde antes que yo naciera; en segundo lugar, mi madre es católica de toda la vida, católica cubana. La mejor amiga de mi madre durante muchos años, hasta que murió, era una negra prieta, santera: Petronila Pinilla. Mi madre y mi padre son los padrinos de una de las hijas de Petronila, y Petronila y su marido, Pedro Julio (los dos fallecidos), son los padrinos de uno de mis hermanos. Pedro Julio también era masón; Petronila era católica y santera. En esta casa, a través de la Iglesia y de este elemento de la santería y la masonería, nunca existió distinción alguna con respecto al negro. En la masonería —tú lo sabes—, desde el siglo XIX, en Cuba, hay masones negros; la masonería en Cuba siempre fue muy democrática. A pesar de que tenía un origen clasista muy específico, en nuestra Isla, la masonería fue capaz de superar ese aspecto étnico hasta donde pudo, en una sociedad dividida en clases y con elementos raciales muy definidos. Repito, la masonería fue bastante capaz de superarlo y, por ello, en la Logia de aquí, del barrio, del viejo mío, el porcentaje de masones negros fue muy notable, y esos negros se relacionaban con mi padre y con el resto de los masones blancos siempre mediante una relación que partía de la existencia de un vínculo que ellos respetaban mucho: el hecho de ser hermanos, "mi hermano masón". Cada vez que mi papá veía a uno de ellos o cuando alguno de ellos veía a mi papá y pasaban todos por aquí, por mi casa —era la época en que había café normalmente—, se sentaban ahí durante veinte minutos; la vieja les hacía café (...) todos tomaban café antes de seguir para la Logia. Mi padre llamaba a Pedro Julio "mi hermano Pedro Julio" y Pedro Julio se refería a mi padre como "mi hermano Padura", porque era natural para ellos, y yo lo asumí también como algo natural. Era la época de mi niñez; la época en que uno forma los principios fundamentales que uno va a tener en la vida. Y eso a mí me quitó una enorme cantidad de problemas, porque lo relativo a la "pertenencia" racial no me convirtió —a mí, que soy mulato— en un problema —nunca lo fue—, al punto de que muchas veces ni siquiera reparo en ello.

No me siento blanco ni me siento negro, ¡me siento cubano! La gente me pregunta: "Mario Conde, ¿es mulato, blanco o negro?" y respondo: "No sé, nunca he visto el color de Mario Conde, no me hace falta". Con mis amigos, sucedió lo mismo. Me crié jugando pelota. Por ahí, apareció el otro día mi carné escolar (de cuarto grado), tenía 65% de asistencia; iba la mitad de las veces a la escuela, la otra mitad me iba por ahí a jugar pelota por allá arriba, por las canteras, acompañado de una partida de negros con peste a grajo y con las patas sucias. Había uno a quien se le había muerto la madre. Cierto día, mi vieja le dijo: "No, a esta casa, tú no entras más con esa peste a grajo", se lo llevó para el patio, cogió una manguera y un jabón de lavar —lo encueró—, le enjabonó los sobacos y terminó bañando al negro, que tenía como once años. Eso era natural, éramos normales, nos criamos así y eso me ayudó mucho. Pero, además, ese negro se acostaba en mi cama y comía a la mesa.

Después varias veces, cayó preso, y cada vez que salía de la cárcel, adonde primero venía era aquí, para ver a la vieja. Para él, mi vieja es lo más grande del mundo, porque mi casa fue un lugar donde él se sintió tratado normalmente como lo que era: un amigo mío, que jugaba pelota conmigo. Él era quien bateaba más duro y había que tener al negro "del lado de acá" porque si jugaba en el equipo contrario nos jodía. Este tipo de comportamiento social en un barrio como Mantilla es muy fluido, siempre fue muy fluido y —creo— sigue siendo muy fluido. No es igual en toda la sociedad cubana; imagino que en determinadas regiones de Cuba ese tema es un poco más complejo, quizá en la zona de Villa Clara (que es más blanca), en la zona de Camagüey, en Santiago de Cuba, sea otra historia. Ese tipo de manifestaciones son distintas; en la misma Habana, tal vez —tal vez no, sin duda—, a pesar de que ya se ha perdido mucho la diferenciación social entre los barrios porque te encuentras que en El Vedado está esa casa de seis cuartos, pero al lado hay un solar donde la mitad son blancos y la otra mitad son negros.

El otro día en una entrevista me preguntaron ¿y cómo tú te ves? Digo: chico, mira, yo tengo un problema muy grave y es que yo me sigo viendo como el muchacho que nació en Mantilla y jugaba pelota en la esquina. Yo sigo en lo esencial de mi vida pensando lo mismo. Puede parecer un poco "comemierda", pero es verdad, es verdad, sigo pensando igual que cuando era un muchacho de aquí y no me creo cosas, tú lo sabes, no me creo cosas y trato de mantener una vida lo más normal posible dentro de las condiciones que tengo que son muy superiores a las de la mayoría de la población cubana, pero en mi pensamiento eso no ha influido como para cambiar mi manera de pensar y de sentir y por eso el tema racial a mí me cuesta tanto trabajo manejarlo porque como nunca fue un conflicto para mí y como nunca se presentó en mi casa de una manera conflictiva, sino que las personas eran personas, siempre fue así y sigue siendo así.

Mi madre es gregaria, ella si en el día no habla con cuarenta personas, por la noche no puede acostarse a dormir, y por ese portal pueden pasar al día diez, quince gente. Y todo eso determinó mucho en mi manera de entender el mundo, las relaciones con las personas. Puede ser, que en ocasiones se me manifiesten prejuicios, pero son los prejuicios típicos del cubano, por ejemplo: cuando un cubano dice "un chino" hay un leve matiz despectivo dentro de esta pronunciación, dentro de esta formulación y lo puede decir un negro o un blanco; un "cubano-cubano", lo dice como si "el chino" sí fuera inferior. Y cuando dice "un árabe" lo dice con un leve matiz despectivo. Esto sucede en un sentido muy amplio por esas cosas del orgullo y ahí me voy a desviar, pero es importante esto que te voy a decir. Recuerda que las cosas en Cuba hay que verlas siempre desde una perspectiva histórica, por eso me interesa tanto la historia y Heredia y Del Monte y otros. El problema es que este es un país desproporcionado y por eso el orgullo que tenemos ¿Cuál sería el equivalente de Cuba, más o menos aquí en el Caribe? República Dominicana, El

Salvador, Costa Rica, más o menos por ahí, siete, ocho, diez millones de habitantes, un territorio similar.

Cuba dio a Alicia Alonso, Alejo Carpentier, Nicolás Guillén, Wifredo Lam, Brindis de Salas, Heredia, Martí, Julián del Casal, Juantorena, Kid Chocolate, Ramón Fonts, Capablanca, Orestes Miñoso, ¿tú puedes encontrar algo similar en esos países? Entonces, aunque tú no lo creas, también alimenta ese orgullo porque es un país que yo digo que es más grande que su geografía. La Isla es de un tamaño y Cuba es un país más grande, y esa desproporción hace que también tengamos muchas veces reacciones desproporcionadas. Ese orgullo nacional que es tan bueno como malo porque nos ha salvado de muchos desastres, pero también nos ha llevado a cometer otros muchos; nada es bueno en absoluto y nada es malo en absoluto. Todo eso también está relacionado con este tema del racismo y de la discriminación racial a través de la historia de Cuba. Yo pienso que un proyecto que trate de analizar y de encontrar soluciones, o por lo menos de hacer análisis de estos problemas, no puede perder de vista esta perspectiva histórica que va desde que esos negros que llegaron a Cuba no eran unos negros cualquiera, sino los mejores negros que había en África hasta que en el presente, un negro cubano por muy discriminado que se sienta, no se siente igual que un negro haitiano, igual que un negro jamaicano o igual que un negro en Nicaragua. La problemática nuestra nosotros tendemos a verla de una manera superlativa, porque es la nuestra, y es la que nos duele, pero como quiera que sea el espacio que ha ganado el negro en la sociedad cubana es muy importante, y lo que es una pena, es que ese espacio de alguna manera se haya congelado y no haya podido seguir creciendo porque se congeló la economía del país, y la escalera por la que este negro que empezaba o que empezó, de hecho lo logró, salir de un estado cultural, social determinado hacia un ascenso, no haya podido concretarlo también en su vida práctica, cotidiana, económica, porque el país no le dio el respaldo suficiente para lograrlo.

En el plano de la subjetividad, más allá o no de lo económico, ¿cómo crees que la intelectualidad o la cultura pueda contribuir a romper toda esa cadena de discriminación por el color de la piel? Aunque no creo en el color ni en la razas, pero la subjetividad desempeña un papel muy importante y eso se observa en tu análisis, además de en la realidad.

Mira, ese tema también es muy complicado porque no es el caso de potenciar el orgullo negro, porque potenciando el orgullo negro lo que estás haciendo es disminuyendo al negro del resto de la sociedad por el color de su piel, aunque a la vez hay que alimentar el orgullo humano de esta persona con independencia del color. Creo que por ahí estaría de alguna manera la cosa.

Hay un lugar histórico del negro en la nación cubana y hay que resaltarlo, como también sus frustraciones, los horrores a que fue sometida esa población, los logros que a pesar de esos horrores o de esas frustraciones consiguió, su papel político en la historia de Cuba; absolutamente decisivo. Hay que rescatar el valor de lo que significó ese segmento de la población y una figura como la de Aponte, por ejemplo, necesita una reivindicación histórica. Se decía "es más malo que Aponte", porque si Aponte, en apariencia o realidad hizo cosas que puedan considerarse malas, hay también que entender el contexto en el que ese hombre tuvo que actuar y las cosas que tuvo que hacer. Hay que reflexionar para conocer las dimensiones de su personalidad.

Entiendo que las vías están no solamente en lo económico —no voy a volver sobre eso—, sino que están en la cultura, en la educación, en la manera en que se potencie ese deseo de superación humana de ese sector de la población que tiene el mismo derecho a tener esa superación que el resto de la población, con independencia de su color. Definitivamente, hay que dejar de pensar, estoy hablando en términos cubanos, en el tema del color de la piel. Si bien esto es importante, porque tampoco se debe olvidar a la hora de hacer un análisis sociológico, y decir por qué tengo más negros presos que blancos, tienes que buscar las causas de ese fenómeno. Eso no se puede descartar porque hay una realidad social que te va a obligar a tenerlo en cuenta, pero hay un nivel, este que tú le llamas subjetivo y que pudiéramos también llamarle cultural, en el sentido amplio del término cultura. Es cultura en general, en el cual la diferenciación, el lugar o las realizaciones de los individuos no tengan que ver con el color de su piel porque de hecho no tiene que ver con eso, tiene que ver con su inteligencia, con su capacidad, con su espíritu de sacrificio, con su voluntad, y eso es lo que creo que hay que potenciar en todos los sectores.

Hay un fenómeno del cual yo he hablado varias veces, también Reynaldo González, y ha sido esta pérdida de valores que se produjo en Cuba a partir de la década de los noventa cuando se había logrado un cierto mejoramiento humano en general. Las crisis económicas hacen que surja lo peor de los individuos y estamos viendo manifestarse lo peor de la sociedad prácticamente todos los días en todo el país, y eso hace más complejo este tema, pero creo que va por ahí y la intelectualidad debe tener la conciencia de que no puede ser ni paternalista ni racista ni sexista ni puede ser fundamentalista religioso, no puede, o no debe tener, no debería de tener ninguna manera de manifestar posibles discriminaciones en ninguno de los sentidos posibles como el sexual, el étnico, el religioso, incluso político, porque el diálogo y la convivencia son la manera de resolver en ese sector subjetivo, espiritual, las diferencias que puedan existir mientras se llegan a eliminar las razones económicas por las cuales pueden existir esas diferencias que son en este caso del tema racial más importantes que en el tema sexual, en el tema religioso e incluso en el tema político.

Para cerrar el juego, ¿a quién le "darías el bate" para ganar esta batalla?

Yo creo que hay que repartir muchos bates. Hay que darle el bate a todo el mundo. Hablar, el diálogo y participar, participar.

Yo no creo que haya que decir "en el Poder Popular de Arroyo tiene que haber veinticinco delegados negros, quince blancos y cuatro chinos", me parece que eso es racista. Tiene que haber tantos negros capaces de hacer dignamente este trabajo, como blancos, como chinos, como árabes, musulmanes, mujeres y homosexuales. Cuando tú empiezas a manejar porcentajes, empiezas a tener una perspectiva discriminatoria del origen de las cosas. Si la contralora de la República es la que "tiene el cuchillo en los dientes" no es porque sea mujer sino porque es una persona capaz de hacer ese trabajo, pero no porque sea una mujer tiene que estar ahí, sino por su capacidad e integridad. Igual que creo que no tiene que ser un negro obligatoriamente quien dirija la secretaría general de la CTC en Cuba porque eso nos ha llevado a otros desastres, cuando debe ser el más capaz. Estamos hablando de un liderazgo obrero. ¿Por qué tú, por ser negro eres más obrero que el blanco, si los dos trabajan en Antillana de acero metiendo hierro por ahí para allá y salen con las mismas ampollas en los brazos, y a lo mejor al negro le gusta dormir el mediodía y el blanco por el mediodía va a la administración y protesta porque la comida es una basura? Fíjate que ese negro está durmiendo el mediodía, no porque sea negro, es porque le gusta dormir a esa hora y a ese blanco no. No se puede partir de esos criterios de representatividad. Creo que en Cuba la representatividad no funciona, porque este es un país que ya debió haber superado la representatividad en el sexo, en la raza, las etnias, como se le quiera llamar y estar en un estadio superior. Si no lo hemos logrado ha sido por nuestras incapacidades, por nuestras malas políticas con respecto a la mujer, el negro, el chino y el que sea, y la manera de resolver eso es el diálogo. Hay que repartir muchos bates y que cada cual tenga la posibilidad de expresar, de pedir, de exigir lo que se merece porque hay una Constitución que lo respalda como ciudadano cubano, a tener ese derecho con independencia de si es blanco o negro.

Cerramos el juego, por ahora.

Cuba es una nación inclusiva*

*Rolando Julio Rensoli Medina***

¿A qué se debe el desconocimiento y silencio de hechos tan importantes en nuestra historia política, como fueron la Insurrección de Aponte en 1812 y la Masacre de los Independientes de Color cien años después?

Llama la atención cómo ya en la época del poder revolucionario, se esclarecieron muchos hechos, procesos y el papel de no pocas personalidades que la historiografía burguesa había distorsionado. Un ejemplo fue Narciso López que se nos presentaba como precursor de las luchas del 68 y de pronto, lo descubrimos anexionista y como ese, pueden mencionarse muchos más casos. Sin embargo, al silencio casi total en la república neocolonial sobre hechos tan importantes como los relacionados con Aponte y los Independientes de Color, en la Revolución se les hizo justicia pero a nivel, diría yo, de especialistas y no del común.

* Entrevista realizada en junio de 2012.

** (1964). Licenciado en Ciencias Sociales y Máster en Estudios Marxistas. Profesor auxiliar de la Universidad de La Habana y miembro del secretariado permanente de la Unión Nacional de Historiadores de Cuba. Es experto en historia regional y local y en estudios interdisciplinarios de identidad del Programa Nacional de Historia.

En tu opinión ¿cuál ha sido el papel de historiadores e historiógrafos en el bajo perfil que se le ha dado a ciertos acontecimientos y personalidades de nuestra historia?

José Luciano Franco hizo un formidable libro sobre Aponte, tras una pormenorizada investigación de los fondos del Archivo Nacional, sobre todo los del proceso judicial contra el patriota y llegó a nominar su movimiento como "la primera conspiración de carácter nacional". Pero, en los programas docentes aparecía someramente y por tanto, igualmente en la textología escolar. Yo pienso que era parte del prejuicio racial no resuelto aún en una revolución tan humanista, civilizatoria, justiciera e igualitaria. Era muy importante hablar de José Miguel Gómez como "El tiburón que se bañaba pero salpicaba", continuador de la corrupción iniciada por Charles Magoon y otras cosas más, pero su genocidio hacia el Partido Independiente de Color y miles de víctimas negras que no tuvieron que ver con el alzamiento solo se esbozaba.

Del primer independentismo siempre se distinguió a Félix Varela y las conspiraciones del Águila Negra y los Soles y Rayos de Bolívar. Aponte tenía que esperar mejor momento. Pero igual sucedía con la invisibilización de muchos patriotas y héroes negros. Ciertamente en las guerras de independencia se empleaban paradigmas: Céspedes, Agramonte, Maceo, Martí y Gómez y se quedaban Mayía Rodríguez, Roloff, Donato Mármol... y los negros: Moncada, Quintín o los mulatos como Flor Crombet. Y en el último proceso de lucha de liberación nacional, por lo general, Almeida y Fontán eran los únicos negros que se destacaban. ¿Casualidad o prejuicio?

De Antonio Maceo y la familia Maceo-Grajales es aún insuficiente lo que conoce ¿a qué lo atribuyes?

Nadie nunca discutió la paternidad de la Patria por Carlos Manuel de Céspedes y los muchachos en la escuela repetían una y otra vez la anécdota del hijo de Céspedes: Oscar, prisionero por los españoles y la propuesta de estos al líder cubano que abandonara la lucha a cambio de la liberación del descendiente; pero a doña Mariana como Madre de la Patria le quisieron poner banderillas. Tanto la Federación de Mujeres Cubanas como la Unión Nacional de Historiadores de Cuba ponderaron el título pero otros tuvieron reservas y muchos, formando parte de los órganos y organismos decisores.

Por otro lado, de una estirpe formidable como la de los Maceo-Grajales se ha divulgado muy poco. Más o menos, se habla de Antonio y su madre, en algo se menciona a José, María Cabrales corre la suerte de otras mujeres, o sea, se supedita a Antonio y casi nada se dice del resto de la familia. De la casa familiar, las propiedades y la clase social a la que pertenecían tampoco se habla. Casi siempre se proyectaba como una familia muy pobre y es que funcionaba así el imaginario popular y el prejuicio racial: eran mulatos, por tanto, pobres, ¡ignorancia y prejuicio!

Existe un Centro de Estudios Antonio Maceo creado por la Revolución en Santiago de Cuba que ya cuenta con resultados de investigación considerables, pero se difunden muy poco. Es como si ese conocimiento fuera solo para especialistas y santiagueros por demás.

¿Crees que aún permanecen manifestaciones del racismo antinegro en nuestra sociedad?

El principal problema sigue siendo los programas de estudios, los textos escolares, la prensa plana y los medios de comunicación social, pues libros con la temática racial, la familia Maceo-Grajales y de otras figuras que pudieran ser paradigmáticas, sí se publican.

Y es que el racismo antinegro subsiste como mentalidad colonial encasillada en prejuicios. Es interesante: a un cubano común se le acusa de machista, religionalista y homofóbico y no tiene reparos en aceptarlo o lo discute, pero al final lo admite como si todo ello fuera normal. Si lo acusa de racista lo discute a muerte, probablemente le rete a duelo y comienza a poner ejemplos de todo tipo para demostrar su integracionismo y antirracismo desde la infancia, pero muchas veces sucede, si ese cubano es blanco, que aunque forcejee con sus ejemplos termina haciendo chistes racistas, queriendo matar a la hija si se enamora de un mulato o un negro o escogiendo por secretaria a la rubia "holliwoodense" en lugar de a la negra más preparada ¿Cómo le llamaríamos a eso?

¿Has sido víctima de la discriminación por el color de tu piel? ¿Qué piensas si esta misma pregunta se la hago a un cubano de piel blanca?

El asunto es tan serio que he visto cómo dentro de una misma familia mestiza y/o interracial se hacen comparaciones entre hijos, nietos, sobrinos, hermanos o cualquier parentesco sobre "atrasos o adelantos" tomando como patrones de medidas la pigmentación de la piel o rasgos físicos como la nariz, los labios o el cabello y de esa suerte escuchamos expresiones como: "Mi hermano es más adelantado que yo"; "mi prima atrasó casándose con aquél", etc. Está claro el mensaje: mientras más oscura sea la piel o se conserven rasgos negroides, más atrasada será la persona, no importa que estemos hablando de un médico prominente o una jurista destacada. En esas mismas familias observamos cómo se dividen: "Yo soy mulato, pero mi hermano carnal es blanco" ¿Cómo es posible, no son hijos de los mismos padres? ¿Por qué no se reconoce el mestizaje del blanco que tiene ancestros de otra raza? Igualmente en familias negras se dividen y subdividen entre sí en negros prietos, negros colorados, pardos, mulatos, jabados "el copón divino" diríamos en franca lexicografía criolla.

Es tan sutil el prejuicio en Cuba que ningún negro pudiera tirar la primera piedra diciendo que no ha sido objeto de discriminación alguna vez. Yo he sido muy reconocido, valorado, promovido y ascendido a lo largo de mi vida pero también he tenido que convivir y combatir expresiones como: "Este negro sí es bueno", ¿los demás no? "Tiene alma de blanco", ¿los romanos, los conquistadores de América, los corsarios y piratas, los esclavistas en este continente colonial que fueron blancos, acaso tenían el alma noble y generosa?

Por lo general, el cubano blanco ha llegado a ver esta situación tan normal que te discute que no existe prejuicio ni discriminación. De hecho, existe lo primero y si ese existe, entonces se discrimina. No hay racismo oficial pero si un dirigente político, administrativo o gremial o un profesor, director de arte o cualquiera que esté en ejercicio del poder es prejuicioso existe el peligro que actúe en consecuencia de su prejuicio y discrimine. En última instancia me queda claro que la Revolución no es racista, está muy lejos de serlo, este es un proceso demasiado grande como para pecar de eso en su filosofía, pero la hacen los hombres y mujeres y estos pueden cometer el error de empañar la obra con la discriminación racial desde su subjetividad. Yo combatí cuando joven en Angola, 300 000 cubanos como yo lo hicimos en tierras africanas, nos hermanamos allí con pueblos que en un final, están emparentados con nosotros por la línea de sangre de nuestros ancestros, sin embargo, vi prejuicios en varios compañeros blancos hacia los africanos, en pensamiento y acción y de hecho eran actitudes discriminatorias, cabría preguntarse: ¿No estaban allí voluntaria y conscientemente ofreciendo su sangre por ellos? Ese asunto es muy complejo. Recuerdo también dos casos: uno, el de una compañera de piel blanca que no admitió un diagnóstico de ciclemia porque, por supuesto, es una enfermedad de negros, ella no pensó en su posible mestizaje. Y otro caso, el de un muchachito muy enojado al recibir una carta de la madre donde le contaba que en Cuba su novia lo dejó por otro. Él confesaba que no le dolía tanto la infidelidad de la muchacha sino el hecho de que lo había dejado por un negro. Y todos ellos estaban combatiendo en patrias negras junto a sus hermanos africanos.

Por eso creo que está muy anclado el prejuicio pernicioso en muchas mentes aunque ya en el siglo XXI observo avances sustanciales, lo veo en las aulas universitarias donde también imparto clases. ¿Consideras que estamos avanzando en esta lucha? ¿Qué hacer para avanzar más?

Se ha avanzado un poco. Cada vez se ve más natural las parejas interraciales y son menos las miradas indiscretas cuando pasan, o la actuación de negros y mulatos mezclados con actores y actrices blancos haciendo cualquier papel en novelas, cuentos, filmes... aunque aún es insuficiente.

No creo en las políticas de cuotas, pero sí en la de exigencia y persuasión por la plena igualdad y la representación de la multirracialidad en todo contexto: en la dirigencia, los centros de trabajo, en todas las esferas laborales, en el arte, en la ciencia. El socialismo es un sistema social que se construye conscientemente y no por mecanismos ciegos. Igual que debe haber conciencia para sustituir importaciones, aumentar la productividad, mantener limpias las ciudades, donar sangre y muchas más tareas de bien público, debe haber conciencia para no excluir ni discriminar a nadie por ser mujer u hombre, por su preferencia sexual, por su ateísmo o creencia religiosa, por sus costumbres, por su raza, origen nacional o regional o coloración de su piel.

Esta es una nación inclusiva, aquí no hay minorías nacionales: afrocubanos, hispanocubanos, francocubanos, chinocubanos, indocubanos, etc., aquí vivimos cubanos con un origen multirracial y multiétnico pero con una etnia unitaria. Lo afrocubano y lo negro en nuestra cultura tenemos que reconocerlo y defenderlo, pues constituye un componente esencial en la cubanía, existe el folclor afrocubano como existe el folclor hispanocubano, las huellas de España y África están por doquier en nuestra cultura pero ello no significa que existan por separado en el resultado, bailes, cantos y música de negros y blancos: El son, el danzón, la rumba, el cha cha cha, el mambo, el pilón, el mozambique, el bolero (...) no son ni afro ni hispanocubanos, son ritmos cubanos, criollos y mestizos y así son las artes plásticas, la literatura. Y los cubanos del común no se han dividido nunca como las minorías nacionales en otros países. Creo lesivo a la unidad de los cubanos extrapolar patrones exógenos. Pero tampoco podemos invisibilizar el aporte negro, la presencia del negro, la realidad del negro.

Diálogo con Eliseo Altunaga*

*Eliseo Altunaga***

Recientes estudios realizados por especialistas permiten conocer acerca de cómo está expresada en nuestro genoma la mezcla de las etnias ancestrales que dieron origen a la población cubana y qué dicen los genes sobre nuestro mestizaje. Se ha detectado cómo personas de piel blanca poseen un alto índice de genes africanos y viceversa. ¿Piensas que en el mestizaje puede estar la solución a la problemática racial?

Yo tengo una mirada sobre eso, quizás no sea la acertada, pero es la que yo tengo. Los problemas biológicos se resuelven a través de la ciencia, pero los problemas de la discriminación racial, de segregación, los problemas de subalternidad son problemas culturales, a mi entender no son científicos, no hay pruebas científicas de que haya racismo, discriminación, subordinación o cualquier otro tipo. Es la consecuencia de intereses de grupos sociales que desean la creación y consolidación de un orden racial, institucionalizado solo si esos grupos tienen el poder para acceder, influir y eventualmente monopolizar el poder estatal. Cuba es un país muy especial.

* Entrevista realizada en agosto de 2013.

** (1941). Licenciado en Lengua y Literatura Hispánicas por la Universidad de La Habana. Es un relevante narrador y guionista cubano. Entre sus libros publicados están *Todo mezclado* (1984), *Canto de gemido* (1988), *A medianoche llegan los muertos* (1998).

Cuando los norteamericanos llegaron a Cuba algunos de sus científicos aseguraban que las mezclas de razas conducían a la "decadencia racial". Un periodista norteamericano aseguraba "Cuba es políticamente imposible, socialmente imposible, económicamente imposible, porque moralmente está podrida. Estos cubanos son los desechos de una raza. No pueden elevarse por sí mismos. La culpa es racial. Cuba produce una sangre mixta, difícil, indócil que desemboca en la depravación". Más menos.

Pero la teoría del racismo surgió de los científicos.

La teoría surge para avalar una situación, pero ya esta estaba dada. La mirada cubana puede ser muy singular. Algunos cubanos científicos que habían estudiado en Francia, que eran patriotas seguidores del general Antonio Maceo, exhumaron su cabeza para demostrar científicamente que el general era más inteligente porque tenía más de blanco que de negro.

No es que los científicos hicieron una teoría y luego se volvieron racistas, igual que la religión surgió como soporte de subalternidad del negro, así se va a la Biblia donde se habla del negro; es decir, todo aquel cuerpo de ideas basado en la ciencia yo creo que no fue lo que creó la situación actual. Por otra parte, la alta movilidad de la sociedad contemporánea a partir del proceso de descolonización, los volúmenes de gente de otros continentes que se movieron hacia Europa, en estos momentos hay grupos de europeos que se están moviendo hacia Brasil, la cantidad de gente que se movió hacia Argentina, la cantidad de gente que se movió hacia Cuba en la época de la República. Esa gran movilidad podría generar o no, lo que se llama mestizaje; digamos la unión de gente con distintos genes. Incluso se habla de que existe un impulso natural de que gente de distintos genes se una porque así aumenta su capacidad de resistencia hacia los virus. Ciertos animales unicelulares en algunos momentos se aparean buscando una resistencia mayor a los virus.

Pero yo creo que el problema que te ocupa no es un problema científico sino un problema cultural y creo que los problemas de Cuba en este sentido no son los de la ciencia sino los de la nación. Hay un problema de cómo se ve la nación cubana, cómo se creó la nación cubana y cuáles son las miradas de qué se considera un cubano de verdad, qué se considera un criollo y qué se consideraba un negro que no fuera criollo y eso está lleno de un conjunto de presupuestos que se han mantenido fijos, aunque no sean verdad en el imaginario cultural de la gente y en la represión que hubo para que ese imaginario funcionara así.

En el primer proyecto de inmigración presentado al gobernador Wood por la Asociación de Hacendados, se declaraba inequívocamente que los blancos eran "la única inmigración conveniente" y que en este tema la opinión del país era "unánime".

Primero, existe la idea de que todos los negros cubanos eran esclavos como el esclavo de plantación; cosa que es falsa, no todos los negros cubanos eran esclavos de plantación. El sistema de plantación se instauró en Cuba con fuerza cuando Haití cayó.

Es a finales del siglo XVIII y principios del XIX que se instala en Cuba una economía de plantación, sobre todo en el occidente: Pinar de Río, La Habana, Matanzas y Cienfuegos donde existe un sistema de represión laboral brutal con unos negros que traen para que lo haga y todo un aparato de pensamiento que justificaba la existencia tanto religioso, cultural y estética. Ese sistema de plantación, incluso, trajo a alguien que creó la imagen de lo cubano, que fueron los grabadores franceses quienes hacían las anillas de los tabacos e hicieron la imagen de un criollo que parecía europeo, bonito, con banda y se acercaba mucho a lo que podía ser un aristócrata o un burgués europeo. Entonces esa idea de la nación yo creo que se mantuvo; una idea bien estructurada y bien armada.

Y sin embargo, algunos investigadores aseguran que en el siglo XIX, en pleno auge del sistema de plantación solamente

23 % de la fuerza laboral era esclava. Había negros esclavos, libres, negros de distintas denominaciones. Hay otro fenómeno que nunca se recuerda y es que en Cuba no entraron mujeres blancas en todo el siglo XVII y parte del XVIII. Digamos que la única forma de reproducción de los seres humanos en la Isla fue entre gente de distintas razas o entre razas iguales. Es decir, muy pocas blancos tenían una blanca, había muy pocos, podían venir de Cádiz dos prostitutas, una monja escapada, una carcelera, una mujer vestida de hombre, pero eran Cádiz y La Habana, dos puertos. Había una tradición española de que las mujeres esperaban en la aldea. Además, en esos barcos no había camarotes para mujeres. Las mujeres de los funcionarios venían en el camarote del capitán o del contramaestre. Todo eso crea una realidad distinta ¿de dónde salen esos supuestos blancos puros que durante todo el siglo XVI, XVII y XVIII construyeron el país? No había con quien hacerlo. Todo el grueso de esa población era el producto de la relación de los blancos o de los mulatos y los negros con las esclavas o con las negras, y a veces alguna viuda joven con un miembro del ingenio porque no había de dónde sacar otras. Por otra parte había en las zonas centrales, más que en las zonas orientales, en lo que hoy es Camagüey y alguna que otra provincia, un alto nivel de vida, digamos que compartidas.

La idea de la ganadería no puede ser la de un hombre con un látigo pegándole a otro. El esclavo que estaba trabajando con el hacendado, con el hacendado ganadero, tenía un conuco y en ese conuco sembraba, tenía una familia, tenía un caballo, una montura, cuidaba del ganado, lo desollaba y era el soporte de la economía de plantación del sur de los Estados Unidos y de la economía de plantación en Haití. Es decir, tenían ese vaso comunicante, pero las relaciones que tenían ellos no eran las relaciones que había en Haití ni las que existían en el sur de los Estados Unidos. Por eso identificar al negro como esclavo y al blanco como el amo y a todos esos esclavos como de economía de plantación es un supuesto que se fue creando. También se creó el de las relaciones domésticas. Una casa en La Habana tenía 60, 70 esclavos domésticos donde había una enorme promiscuidad, donde estaban las mulaticas de 16, 17 años, juntas con los niños bien de 18 y 19 años, donde estaban las hijas de los amos con los caleseros que eran sus confidentes. *Cecilia Valdés* es un retrato pálido de eso que sucedía, pero quien la lea con cuidado nota el enorme mundo de promiscuidad que había. Por otra parte, hubo varias represiones que dan a entender la existencia de un grupo de fricciones de los negros con la ideología dominante. Está el caso de los negros afrancesados, el papel de los franceses en Cuba fue muy importante, no se habla que todos eran masones, o casi todos, desde Aponte hasta Basabe ¿Quién era Aponte? Aponte era un oficial, era un militar.

¿Aponte era masón?

Pienso que está vinculado a la invasión Napoleónica a España y a las ideas francesas. Hilario Herrera era un conspirador dominicano. Basabe sí era masón, yo no sé si Aponte lo era, pero Basabe era masón y Aponte estaba muy cerca y el movimiento de Basabe era el movimiento de los masones. No hay que olvidar que la masonería tradicionalmente había sido reprimida y sus miembros guardaban riguroso secreto.

Las ideas que movían a Aponte eran las de los que tú llamas afrancesados influenciados por la masonería, además.

Influidos fundamentalmente por las nuevas ideas en Francia.

¿Podríamos presuponer que la masonería como hervidero de ideas jugó un papel fundamental desde esa época?

En el siglo xvii aunque la masonería ya estaba instaurada en el mundo del corso, la piratería y del comercio, con Richelieu hubo una contradicción. Richelieu no podía contener a los hugonotes y los mandó para el Caribe, en ese entonces ya los hugonotes eran una figura francesa fuerte, constituían una institución grande, ellos montan la Isla de la Tortuga y allí van a dar los grandes bucaneros y los piratas con un tipo que se llama Levaseur, y este crea en la Isla de la Tortuga una nueva Ginebra. La idea de los hugonotes era crear una Ginebra universal, ya de alguna manera había la idea de separarse de las colonias. Yo no he estudiado a Aponte tanto como para poderte calificar exactamente, pero sí sé que el movimiento estaba influido por eso.

¿Por la masonería?

Estaba influido por la masonería. Por la Revolución de Haití. Por las ideas francesas y por el pensamiento francmasón.

Luego viene en 1848 la Conspiración de la Escalera que fue un intento por abortar, siempre le tuvieron miedo al Cuerpo de Pardos y Morenos y en 1848 lo hicieron pedazos, y miedo también a una clase media, pudiéramos llamarla clase media entre comillas, con unos negros y mulatos poseedores de riquezas que tenían ciertos dominios en muchas ramas de la economía de las ciudades. Estaban los cocheros, los funerarios, tenían muchos oficios. Había un sentido del hijo hidalgo de no trabajar y ese pensamiento del hijo hidalgo de no trabajar era sustituido por esta gente que trabajaba y eso fue golpeado duramente por la Conspiración de la Escalera. Incluso por un obispo en La Habana que fue quitando la figura del arte a los negros, fue desechando que los negros fueran los pintores, los orfebres.

Estamos hablando del siglo XIX donde ya hay un sector de negros adinerados que son respetados por su nivel económico, tú hablas del fenómeno cultural, pero y el factor económico, ¿qué papel juega, cómo determina?

Hay toda una figura que no funcionaba aquí. Si tú ves toda la estructura, digamos en Occidente, de cómo funcionaba la economía de plantación había toda una cadena constituida por los negros, estaba el contra mayoral, incluso dentro de la casa del amo estaba el negro que le ayudaba a llevar las cuentas, el negro que lo cuidaba, que andaba con él, estaba la hija mulata que él tenía con una negra, yo no he cuantificado, eso creo que no está cuantificado. Se sabe de negros que vivieron en España, de los Estados Unidos donde había criaderos de negros que se vendían a Cuba, de negros que nacieron negros y murieron blancos. Yo lo que quería decirte, para resumirte, es que había una multiplicidad de ideas que sacralizaban o se acercaban a la idea de cómo crear una imagen de la nación, es decir, qué era la nación cubana. En el siglo XVIII cuando se produce la Revolución de Haití ya existe una idea de cómo debe ser la nación cubana, que no debe ser como Haití, y se hace muy fuerte la idea de que los negros sean separados de esa imaginación de la nación y los negros a partir de ese momento ya no son parte de la nación: están los amos, están los criollos, blancos aunque sean mulatos "y sus negros", al principio era "y sus negros". El amo puede ser liberal, puede ser bienhechor, era el amo "y sus negros".

Lo que sucede es que la economía de plantación fue muy violenta. El negro que viene a trabajar estaba marcado para morir, el negro que viene en el siglo XIX si no moría quedaba muy maltrecho, no era un negro para convivir, el negro que era para convivir fatalmente ya vivía en Cuba, fatalmente para los blancos; fatalmente para los blancos ya tenía un estatus; fatalmente para los blancos era una carta de negociación de la corona, porque podía usarlos; fatalmente para los blancos eran muchos y no eran los esclavos, los esclavos había que traerlos, había miles de negros que no trabajaban o trabajaban en otras cosas, pero no iban a cortar caña, a cortar caña iba el esclavo que venía obligado. Ese esclavo que venía obligado no sabía hablar el castellano y era también discriminado por los negros. La práctica de discriminar a los negros se debía también en buena medida a que el esclavo de plantación era una imagen terrible, era una imagen a la cual nadie quería parecerse. Yo pienso que eso creó la base de refundar la nación desde una perspectiva blanca y crear los valores artísticos, estéticos, éticos, los valores morales a partir de las construcciones eurocentrista y blancas que se establecieron en el país. Hay más todavía, la intervención norteamericana en Cuba es una intervención inspirada en las relaciones con el sur de los Estados Unidos. Quienes solicitan, los que piden que el país sea intervenido es el grupo de criollos cubanos muy cercano a los productores del sur y al sector más retrógrado de los Estados Unidos. Pienso que eso durante el tiempo logró construir una imagen de la nación donde había un amo bueno, blanco, rubio o trigueño, y una masa de negros esclavos condescendientes y que él trataba bien y que peleaban por él y él les dio la libertad de una manera generosa. De modo que esa imagen idílica permeó y sirvió de soporte para crear una imagen de subalternidad. Incluso en los inicios de la República algunos de los generales de la guerra de independencia se quejaban de que los del Partido Independientes de Color eran mal agradecidos "cómo si les dieron la libertad, la posibilidad de ser personas, cómo van a hacer un partido", cómo... era uno de los argumentos contra la existencia o no del partido. Pienso que el problema está ahí y que esa base o esa idea de la nación se concreta con el triunfo de la Revolución.

La nación cubana racista se hace, se consume, se crea cuando se van para Miami nada más que los blancos. Tenemos por primera vez en la historia de la nación cubana una Cuba sin negros.

Una Cuba sin negros.

Sin negros, pueden haberse ido cinco negros, pero la mayoría de la emigración al principio de la Revolución fue de blancos.

¿Tú quieres decir una Cuba sin negros en los Estados Unidos?

Yo quiero decir una Cuba en los Estados Unidos sin negros. Miami creó la idea idílica de que podía haber una Cuba sin negros. Si existía Miami, ¿cómo no va a haber una Cuba sin negro?, si no se fueron negros y funcionó.

Yo pienso que el sueño de una nación cubana sin negros se dio al triunfo de la Revolución, se dio en Miami, ya después por distintos motivos, pero ya estaba sacralizada, ya estaba hecha, ya estaba armada. Creo que nunca ha habido una mirada fuerte para refundar estas cosas, para luchar contra esta mirada, para refutarla. También ha existido una imagen idílica del negro. Ya Arango y Parreño usaba a su favor las ideas del negro criollo dócil y el negro esclavo rebelde y cuando le convenía cambiaba los términos. Los negros participaron en todo, los negros participaron en batallones españoles, había negros que participaron en las cacerías de esclavos, el cuerpo de guardaespaldas de Weyler era de negros, su guardaespaldas central era un negro, es decir, el negro era una pieza activa en la sociedad cubana, pero no en la nación. La sociedad lo tenía como un agente activo, como un agente creativo, pero la nación no, los pensadores de la nación son los pensadores blancos, alguna gente los llama los paladines. Empiezan a surgir esos nombres, los paladines, los pensadores, los próceres de la nación. La familia de la nación ¿cuáles son las grandes familias que constituyen la nación? La blanca y bueno, si esa es la familia que constituye la nación ¿qué es la nación? sino la representación de esa familia.

El término de familia era para los blancos. La familia negra no era reconocida.

Nunca he oído hablar de una familia de negros que constituya la representación de la nación cubana.

A pesar de ser la familia Maceo Grajales el paradigma de la familia cubana según mi punto de vista.

Yo no quiero discutir, te estoy exponiendo mi base para poder entrar en una reflexión. A principio de la República se quiso imponer la idea de que Maceo era más blanco que negro. Y hombres que lo adoraban y le tenían respeto defendían esa posición, eran patriotas. Pienso que ya el hecho mismo de crear un cuerpo ideológico, un cuerpo imaginario, un cuerpo de base, que constituye que los valores de una nación y los valores de una nacionalidad y los valores de una figura son hechos, todo aquel que no sea igual a eso se tiene que sentir subalterno o raro, lo rechazas o lo aceptas, pero tú no puedes ser de una familia de representación de la nación cubana si tu familia no es, no tiene los atributos estéticos, económicos de esa familia. Por eso cuesta tanto trabajo. Yo no veo la problemática racial tanto desde el punto de vista económico, ni la veo tanto desde el punto de vista político, más bien la veo desde el punto de vista del mundo de las ideas. Por supuesto que en ese mundo de las ideas los que tengan el dinero son los otros, que los que tengan la movilidad sean los ricos y cuando llegan momentos cruciales se pone en evidencia esa situación.

Llega el Período Especial donde se pone en evidencia que quienes bajan mucho más son los más pobres, los más pobres son los negros y por tanto hay una mayor cantidad de evidencias de que hay una disensión, de que hay una diferencia. Cuando surge ahora este período más liberal, entonces los que tienen más paladares, los que tienen ciertos atributos, los taxistas, en distintas gradaciones, son los que pueden acudir a ese reservorio de ideas que es Miami, ese reservorio de ideas sacralizadas, ese reservorio de ideas que se hizo material.

Existe el criterio de que la situación de desigualdad del negro se resuelve a través de la vía económica, que en la medida en que la situación económica se mejore se reducirán las diferencias por el color de la piel.

En la historia de Cuba cuando los criollos se hicieron ricos quisieron ser aristócratas, y entonces compraron títulos de nobleza, de conde y de marqueses porque ya no querían ser "limpios de sangre", querían ser nobles españoles. Digamos que hay un factor de las ideas, hay un factor de la construcción cultural, de la identidad de las personas que lo conlleva a que no es solo el poseer los bienes, por eso es que la cultura es tan importante. Cuando yo era niño los ricos miraban con desdén a los que tenían dinero pero no tenían familia, no eran personas reconocidas, no podían mostrar un árbol genealógico limpio de mezclas. Tú podías tener todo el dinero que tú quisieras, pero tú no eras miembro de esa sociedad, tú eras como un nuevo rico, eras algo raro, era como los generales que tuvo Machado, que tuvo Batista que eran vistos como tipos con dinero, pero no "con clase".

Y por eso le ponían la "bola negra" aunque no fueran oscuros de piel. Eso mismo te lleva a que no hay una cultura del poder, el poder es una cualidad que conocen los hijos de los blancos empoderados que tienen una cultura, que saben que en la sociedad hay que hacer esto y esto para llegar a ser mejor. Hay que sostener a la familia, hay que cuidar a aquel que tenga una dirección aceptada, hay que ayudarse mutuamente. Son condiciones que se adquieren mediante una cultura. No es lo mismo el negro que estudió medicina solo en el solar con el librito, al que tuvo el tío que era médico también, el primo que también era médico, el hermano que conocía a un médico y entonces le fue mucho más fácil, mucho más cómodo, tuvo la participación familiar. Aquella familia que no tuvo ningún tipo de relación con eso no tenía ni formas ni cultura de cómo podía ayudar a que a su hijo que iba a ser médico le fuera mucho mejor.

¿Lo que quieres decir es que los negros no tienen cultura de poder?

Yo sí creo que en general no tienen cultura de poder.

Siguiendo con la problemática racial, hay quienes consideran que la solución es política. Piensan que ponderando a los negros en el poder se acaba o minimiza el problema.

Siempre es mejor que el negro tenga un poquito más de dinero, que tenga acceso a ciertas posibilidades políticas y que tenga acceso a ciertas posibilidades económicas, a ciertas posibilidades digamos sociales, eso no está mal, pero eso no significa que, hay muchos latinos que se van a los Estados Unidos, entran en el Ejército norteamericano, hablan inglés, no quieren hablar castellano y en definitiva no son más que representantes del Ejército de la nación norteamericana, no son representantes del tercer mundo, no es que por meterlos allí van a mezclar al Ejército norteamericano con el tercer mundo como mismo ha hecho Francia. Las metrópolis lo que siempre hicieron fue utilizar una figura y que los subalternos quisieran parecerse a esa figura. Si tú tienes una sociedad donde el negro es un subalterno, mientras más subalterno es el negro más puede escalar. El que mentalmente un negro subalterno escale un nivel social mayor no significa que dejó de ser subalterno, lo que es un subalterno en un cargo de importancia.

No por mucho poder que tenga un negro en los Estados Unidos, significa que haya cesado el racismo y la discriminación. Caso Obama.

Yo no quiero comparar a Cuba con los Estados Unidos, los Estados Unidos son una nación poderosa, pero bueno, ya no hablemos del racismo, digamos que la estructura social de la sociedad norteamericana no ha cambiado porque el presidente sea negro. Para los negros del mundo fue muy importante que Obama fuese elegido presidente de la nación norteamericana.

Tengo el mismo criterio.

Yo creo que fue un golpe sicológico, que fue un golpe emocional, un golpe en el camino de evitar o de romper la idea de que el negro es un subalterno siempre, digamos el representante más importante de la nación más poderosa del mundo es un negro, yo pienso que eso fue importante para el movimiento negro mundial y que eso no hay que dudarlo porque funcionaron otras cosas, cosas históricas, cosas de África, sentimientos de que el negro siempre está en la peor situación.

El que Obama sea presidente de los Estados Unidos a mí me emocionó. Muchos negros en el mundo se emocionaron y no porque fuera Obama, sino por el presidente negro, la figura que pasa a ocupar la más alta representación del poder en un país, eso era importante.

Y un país como los Estados Unidos.

El país más poderoso del mundo hasta ahora.

El fenómeno de Cuba es más complejo, porque aquí se enmascaran cosas, digamos que en Cuba no existe como en los Estados Unidos un blanco puro, España es una metrópoli insuficiente, la España que viene a Cuba es la España andaluza que está pegada a los árabes. El grueso del pensamiento español está mezclado con todo el pensamiento árabe, hay una copla que escuché en Córdoba, España:

Yo no sé por qué será, yo no sé por qué será que la vela de mi barca tiene una mezquita pintá.

España era una metrópoli insuficiente para declarar una racialidad o una identidad. Por otra parte, España no era una nación cuando llegó aquí, era un conjunto de pueblos con distintas ideas, incluso con distintas lenguas, digamos que la nación cubana se crea en Cuba.

Los problemas graves de Cuba no son ni de los Estados Unidos ni de España ni de Rusia, son de Cuba. Pienso que esa fragua de pensamiento de qué es la nacionalidad cubana, que se repite una y otra vez, que es la mezcla de negros y blancos. No hay ninguna mezcla, la nación cubana no surgió con ninguna mezcla, los negros, los blancos, los mulatos y todos los que estamos aquí metidos en el siglo XVI, XVII y parte del XVIII crearon una nación, crearon un sistema, crearon una manera de ver que la economía de plantación del siglo XIX intentó tapar y que tapó porque le convenía a una ideología dominante, a una economía dominante, pero no es que vinieron de fuera, es más, incluso la presencia de los Estados Unidos no logra cambiar la característica de la nación cubana. A Brooke, el primer interventor norteamericano, lo quitan los cubanos y los españoles, los criollos le hacen resistencia y lo quitan al año y ponen a Wood que les convenía más, o sea, siempre de alguna manera los cubanos manejaban las relaciones con España, eran los dueños de las riquezas y no se trata como otras naciones que eran naciones subalternas totalmente que dependían económicamente, no eran los ricos en España, los ricos en Miami. Yo impartí talleres cerca de Barcelona, en Sitches, fue construido por los catalanes que le llaman cubanos, un pueblo entero que es famosísimo internacionalmente.

El problema cubano es un problema de los cubanos, no es un problema de la mirada hacia otro, pienso que los cubanos pueden tener cualquier militancia, cualquier nivel, cualquier lugar y pueden considerar que los negros son subalternos y que son feos y que deben agradecer que les den la libertad y que hayan podido estudiar, crecer. Ese es un sentimiento que está oculto, que está ahí. ¿Cuáles son los móviles? Hoy que ya ha pasado tanto tiempo de eso, por qué permanecen esas ideas, qué lo sostiene, eso es algo que habría que estudiarlo con mucha más fuerza. Evidentemente hay una malla de intereses. Yo pienso que en Cuba había una burocracia, había una burocracia blanca sobre todo en la esfera de la administración y en la esfera de ciertos soportes intermedios que tienen una ideología muy parecida a la de Miami, sus gustos son los mismos, las peliculitas que ven son las mismas, los libros que leen son los mismos, la ropa que se ponen son las mismas, lo que quieren es lo mismo, entonces por qué no pueden de alguna manera ideológicamente militar en la misma posición.

¿Cómo se soluciona?

¿Tú dices desde mi perspectiva?

Claro

Pienso que eso es muy difícil de solucionar. Ahora hay una ofensiva en todas las esferas de la sociedad, la lucha contra la corrupción que se siente con mucha fuerza. Este es un problema en el que la nación puede sufrir grietas si se le intenta "meter mano" de verdad. Pienso que no van a quedarse tranquilos gente que tienen intereses, que tienen sacralizadas familias enteras o grupos de poder entero y que van a repartir sus espacios, ya no sus riquezas, sus espacios y sus perspectivas ideológicas, estéticas y éticas a favor de tener una mirada en la que ellos y los negros no sean iguales. Ni siquiera parecidos. Aceptar la otredad, y no solo aceptarla, sino también llevarla a ese nivel de participación y de identidad es un proceso que va a costar mucho trabajo.

Se habla de que se ha designado a un vicepresidente del Consejo de Estado para atender el tema de la discriminación racial en Cuba.

Pienso que una cosa son los sucesos y otra cosa son las causas, tú puedes poner cinco vicepresidentes para que atiendan los procesos, los sucesos que dan visibilidad a la discriminación racial y cinco no te van a alcanzar, pero las causas que generan la discriminación solamente son producto de análisis estructurales y de medidas extremadamente fuertes que no son poner a un hombre, un hombre que tampoco tiene una trayectoria, que no es un luchador por los derechos del negro, como puede ser en otros países, no es un Nelson Mandela. El asunto es un problema estructural fuerte y que se vea la importancia de ese problema estructural, pero pienso que no es fácil, que esa construcción de la nación, de esa idea de la nación, de lo que es bonito o es bello en la nación, de lo que debe ser un cuadro que es un cubano, de lo que es un cubano y una cubana, de lo que es lo mejor y lo peor y que me quiero acercar, quiero mejorar la raza, toda esa construcción que genera un cuerpo de ideas donde el negro se siente subalterno, se asume subalterno o no, y reacciona contra la subalternidad con la marginalidad o haciendo cosas que no corresponden, que no se solucionan con una persona, se soluciona con un proceso en el que participan blancos, negros, participa la nación entera como un combate.

En estos momentos en que se ha destacado como tarea principal de la nación, para la sobrevivencia de la Revolución y la nación misma, la lucha contra la corrupción, y ahora se suma a ello la lucha por el rescate de los valores perdidos, ¿tú crees que este proyecto de lucha contra la discriminación y la desigualdad racial pueda tener significación, pueda tener sostenibilidad?

Te voy a decir algo con el corazón, yo pienso que los negros cubanos son muy revolucionarios, a mí me da ternura ver lo revolucionarios que son los negros cubanos, son muy leales, somos fieles a la revolución. Pienso que los negros cubanos son la Revolución Cubana. Sin los negros la Revolución Cubana se cae y por eso alguna gente en el exterior ve en los negros la posibilidad de joder a la Revolución. No es porque les gusten más los negros o los blancos, sino porque si hay una fuerza generosa que no pide nada, esos son los negros. Es muy difícil ver a un negro que en un Ministerio se lleve el dinero o le pida 10 % al jefe o que se vaya para la casa del ejecutivo blanco en Europa o en los Estados Unidos, o que le filmen en un hotelito escondido en un lugar para que vaya a pasar las vacaciones con su familia a un balneario en Suiza, es muy difícil ese tipo de negro, incluso yo pienso que los negros no saben que eso existe o no saben cómo proceder para poder llegar ahí. A mí me da esa especie de ternura ver lo profundamente leales que son los negros cubanos, y pienso que a veces las autoridades o los que piensan, se recuestan un poco en esa lealtad, descansan un poco en esa lealtad de los negros, "los negros no lo van a hacer, los negros no nos van a dar guerra, cuatros negritos, pero los negros como el conglomerado, nos quieren", pienso que si no es algo en contra sí es algo que no favorece, que hay un pensamiento de que tú no tienes una premura sino más bien se ve como un proceso que puede ser lento. Cuando hay una ideología dominante, y no hablo de ideología política, sino cuando hay un sistema de ideas dominantes de qué es lo más importante, ideas culturales, ideas estéticas en una nación, todos pasan a ser miembros de la nación, no quiero comparar con los Estados Unidos. En los Estados Unidos Kissinger, quien no hablaba bien el inglés era alemán, el otro, Brezenki, era polaco y sin embargo, pertenecían a la nación ¿por qué? porque tenían ese conjunto de ideas que tipificaban esos asuntos. ¿Cuántos actuaban de esa manera?, un 50 y 50, entonces habrá un 50 % de negros que creen que los negros son subalternos y 50 % de blancos que creen que los negros son subalternos. Pienso que es muy grande, una tarea grande en medio de un momento en que hay muchas dificultades, en medio de un país que se está organizando, en medio de un momento en que se quiere poner orden. Requiere de una urgencia porque los actores que están allí son actores que de alguna manera no hacen nada, son gente que son leales, son gente que pase lo que pase lo van a apoyar, porque no tienen más nada y su inclusión en la Revolución es hasta ahora su mejor alternativa.

ANEXOS

Dentro de muy poco tendremos en Cuba un pensamiento nuevo, fuerte y crítico*

*Eduardo Torres-Cuevas***

Primera parte

Tengo ante mí a un hombre con una sabiduría que desborda a mares; con un sentido amplísimo del análisis y de la investigación y, ante todo, de la observación en cada uno de los enfoques que realiza cuando parte de materias académicas diversas. Con él pareciera que cada momento y cada personaje de la Historia, la Filosofía, la Literatura o de las Ciencias Políticas (por citar algunas disciplinas), han emprendido juntas un camino —para nunca desprenderse—, ante tanto ingenio, y a la vez para continuar cimentando una obra grande: la de educador, por profesión y convicción, y la de cubano genuino, por amor. Es el doctor en Ciencias Históricas, Eduardo Torres-Cuevas, quien me atrevería a afirmar que, hoy por hoy, es uno de los más acuciosos investigadores de nuestra cubanidad.

El profesor Juan Nicolás Padrón destacó recientemente en nuestro sitio web que "después de la invasión de Europa en 1492, el racismo de los colonialistas españoles trajo consigo

* Entrevista realizada por Astrid Barnet el 28 de septiembre de 2011. Publicada en el Foro interactivo El engaño de las razas, organizado por la Uneac y Cubarte.

** (1942). Académico, historiador y pedagogo. Miembro de Número de la Academia Cubana de la Lengua. Profesor titular y doctor en Ciencias Históricas. Premio Nacional de Historia y Premio Nacional de Ciencias Sociales.

tres variantes a América: la aplicación de 'la limpieza de sangre', para los súbditos de la Corona, la discusión de si los indígenas americanos poseían o no alma, y una oprobiosa discriminación racial hacia los esclavos africanos". Partiendo de estas tres variantes, ¿cuál es su criterio?

Estoy de acuerdo con la observación del profesor Padrón. Me gustaría precisar que el tema tiene una periodicidad histórica, es decir, que los motivos y las fundamentaciones del racismo —como aspecto del problema racial—, hay que analizarlos también desde el punto de vista de su evolución en Nuestra América. En un primer período, del siglo XVI al XVIII, el debate es teológico-medieval, en el cual lo civilizatorio no es más que un aspecto de la cristianización; la cristianización combate, con todas sus armas espirituales y materiales, a paganos, herejes y salvajes, enemigos o desconocedores de su Dios; el objetivo de teólogos y religiosos es la salvación de las almas y la conquista del paraíso celestial; detrás de ello está el de los conquistadores: segregar para dominar. Sobre la base de la fundamentación teológico-religiosa, del derecho canónico y del derecho civil, se estructura, paso a paso y según las circunstancias modificadoras, un sistema de dominación en América. La España que llega a nuestro continente es la que ha concluido la conquista —que en la historiografía tradicional fue llamada Reconquista— de la península Ibérica al ocupar, en un proceso de siglos, los territorios que durante generaciones habían estado en manos musulmanas, los llamados "moros" por los castellanos. Hasta entonces, habían convivido tres culturas —tres religiones— en suelo hispano, la cristiana, la musulmana y la judía. Por medio de la fuerza, y apelando al derecho de conquista, los reinos cristianos, no solo despojaron de sus territorios a "moros" y judíos, sino que, además, les ocuparon sus riquezas y, en el mismo año del descubrimiento de América, expulsaron a los judíos y, unos años después, a los "moros". Todo en nombre de Dios. Solo pudieron quedarse en la península los que se cristianizaron. Por estas razones, para distinguir a los cristianos "viejos" de los "nuevos", se instauró la "limpieza de sangre". El traslado a América de este instrumento castellano fue una hipóstasis que sirvió para excluir a indios, negros, mestizos y a otras razas, del acceso a la cultura, a cargos significativos de gobierno civil o eclesiástico y a medios de riquezas. Ello tuvo un efecto estructurante en las sociedades nacientes: la formación de una élite cultural, política, social y económica; de una élite hegemónica.

El otro tema, señalado por el profesor Padrón, el de si los indios tenían alma o no, fue el centro de uno de los debates más enconados de los primeros tiempos. Las tendencias simplificadoras suelen ser fatales a la hora de comprender los procesos históricos. Toda época está llena de nichos en los cuales se refugian y actúan las tendencias que las historias-paradigmas precisan olvidar u ocultar. El debate sobre la condición del indio, cruzó todos los aspectos jurídicos, religiosos, culturales y económicos de los primeros tiempos. Señalaré aquí, solo como ejemplo, que una de las primeras polémicas que tuvo lugar, en 1516, fue entre el primer obispo designado para Cuba, fray Bernardo de Mesa, y fray Bartolomé de Las Casas quien, con posterioridad, sería conocido como Protector de los Indios. Para Mesa, los indios eran inferiores a los hispanos —era la etapa de la conquista insular en Las Antillas; aún no se avanzaba en la conquista del continente— porque eran hijos de la luna y el mar, débiles, incapaces de trabajar, lo que los excluía del tratamiento salvador; Las Casas le riposta indicando ¿qué dirían los habitantes de Bretaña, Sicilia y otras islas europeas, con las mismas condiciones que las del Caribe, ante tal tratamiento? Aquí se observa ya un doble rasero para Europa y para América.

Desde los orígenes de la presencia hispana en América, varios sacerdotes, entre ellos Antón de Montesinos y Bartolomé de Las Casas, se opusieron al trato inhumano que recibían los indios. Este último elaboró varios Memoriales en los que proponía un cambio del régimen de colonización-cristianización. Pocos años después, en México, tendría lugar una de las polémicas más trascendentes para el futuro cristiano de nuestra América, la sostenida por Las Casas (dominico) con el franciscano Toribio de Motolinia. Para el primero era necesaria una catequización individual, previa al bautismo, de modo que el asumir la fe cristiana fuese un acto de conciencia. Motolinia actuaba de un modo contrario; recorría el territorio mexicano efectuando bautizos masivos aunque los recién cristianizados desconocieran las bases mismas de su fe. Para Las Casas era una falsa cristianización; sin embargo, la evangelización masiva de Motolinia, permitió una recepción mística del catolicismo a partir de la cual se produjo una sustitución de los "dioses vencidos", por el que, indiscutiblemente, había demostrado ser el más poderoso, el "todo poderoso", el Dios cristiano. Este proceso no fue racional; fue más profundo, fue mental; se expresó en formas y rituales pero su contenido se refugió en el interior del espíritu: era lo trascendente. Cuando en 1542, la Corona dictó las Leyes Nuevas de Indias, que reconocían al indio como vasallo del rey, ya el daño estaba hecho. En Cuba la medida fue resistida por los encomenderos y, cuando se aplicó, en los pequeños pueblos en que se recogieron algunos pocos indios —Jiguaní y El Caney en Oriente y Guanabacoa en La Habana—, solo se movía en ellos el fantasma de lo que había sido la población prehispana de la Isla. Entonces, la "limpieza de sangre" entre los vasallos del rey, jugó un nuevo y discriminatorio papel.

A este período de nuestra historia le corresponde toda una etapa de la esclavitud en Cuba pero no se puede reducir el problema del negro al problema de la esclavitud. En primer lugar, la esclavitud ya existía en Europa, y en especial en España y Portugal, antes del encuentro con América. Era una institución bien establecida sobre la base del derecho de conquista. Lo más importante es que no tenía motivaciones raciales sino que estaba sustentada en razones religiosas, de conquista o de comercio. Los primeros esclavos ingleses en el Caribe lo son los prisioneros de las guerras de religión en Gran Bretaña. En Sevilla, en los momentos de la llegada de Colón a América, 7 % de la población era esclava. Por tanto, la esclavitud no fue una consecuencia de la conquista de América ni exclusiva para los negros africanos. El proceso que se inició, a partir de entonces, es el que explica los resultados. Los árabes habían desarrollado un fructífero comercio de esclavos en África con la compra de prisioneros de las guerras intertribales y la creación de grupos especializados en la caza humana. Como tenían una porción del territorio ibérico, desarrollaron redes comerciales desde África a estos territorios. Conquistada Andalucía por los castellanos, estos mantuvieron ese comercio. En el momento de la conquista, los reyes hispanos operaron con una clasificación de los esclavos; para venir a América solo autorizaron a los llamados "esclavos ladinos", es decir, que entendían el español, estaban cristianizados y podían desempeñar trabajos de cierta complejidad. Estos no venían directamente de África sino de la propia España. Poco después se comenzaron a introducir los llamados "bozales" (no entendían el español ni estaban cristianizados), que provenían directamente de las costas africanas. Durante el siglo XVI, surgió otro tipo de negros esclavos o libres, los que nacían en América, por lo que fueron llamados "criollos" ("el pollo criado en casa", el que nace o se cría aquí, en Cuba). Los hubo libres y esclavos. Los primeros se destacaron por ser excelentes artesanos. A su desarrollo contribuyó la mentalidad hidalga de los castellanos para quienes el trabajo manual era una degradación social y dañaba el honor. Por cierto, en la "limpieza de sangre" había que jurar y demostrar que no eras tampoco hijo de obrero o artesano. ¿Tendrá algo que ver con la lucha de clases? Es importante observar que este proceso, de bozal a criollo a reyoyo, implica dos aspectos de sumo interés: la pérdida de la memoria de los padres y, por tanto, el modo en que desdibuja "la tierra lejana"; la diferencia de patrias del bozal a la del criollo. Esta última implica algo más, mucho más, que un problema de territorio o espacio geográfico; es, ante todo, el surgimiento de hábitos, costumbres, sicologías sociales e individuales, sentimientos e historias nuevas y diferenciadoras.

España no poseía factorías en África por lo que los esclavos introducidos en Cuba lo fueron por los sistemas de asientos y licencias. Estos eran documentos legales por medio de los cuales la Corona concedió, durante los siglos coloniales, a comerciantes genoveses, portugueses, alemanes, holandeses, ingleses o franceses, la autorización para introducir esclavos en sus colonias. Por estas razones en nuestro país fueron introducidos esclavos de las más diversas etnias subsaharianas. En mi cuenta, más de ochenta y siete. No menos importante es tener presente el intenso comercio de contrabando, una de cuyas más preciadas mercancías eran las "piezas de ébano", eufemístico nombre que alguien acuñó para referirse a los negros esclavos.

Dos aspectos importantes. Todos los negros en África tenían el mismo color, lo que los diferenciaba y enfrentaba eran las rivalidades étnicas. En América, ante el blanco, surge una identidad-igualdad del color que supera la división étnica, todos son negros. Por otra parte, existía un tronco común desde el punto de vista religioso, de costumbres, artístico. Traían entre ellas elementos diferenciadores pero también comunes. Si, por un lado, existía diversidad, por otro, esas culturas tenían un fondo común que les daba cierta unidad a la par que una gran riqueza de matices. Todas estas etnias se inscribían en una cosmovisión que las integraba en esquemas culturales básicos, con el tiempo, con el aprendizaje obligado entre ellos, con la relación con el blanco diferente, con el ocultamiento de sus prendas más preciadas —religión, costumbres, memoria, entre otras— estas culturas se transculturaron entre sí hasta conformar un nuevo tejido social y cultural. Lo que está aún por estudiar más a fondo es, cómo del nuevo medio natural, social y cultural americano, en el cual nacen y actúan los afrodescendientes, provoca los cambios que los hacen, ante todo, americanos, con un determinado patronímico nacional. Es el americanismo ¿latinoamericano? muticolor, multiétnico y multicultural en vigorosa brotación. Es la brotación americana de una raza cósmica, hecha de todas las razas y de todos los ingredientes universales.***

Lo otro, que no puede pasarse por alto, es que los siglos del XVI al XVIII constituyen el período de la acumulación de capital por las emergentes potencias-imperios europeos. Es el capital comercial y manufacturero el que construye el gigantesco comercio triangular Atlántico (Europa-África-América). Europa acumuló el capital, África aportó la mano de obra y América la materia prima para la manufactura europea. Capital y desarrollo técnico manufacturero crean las vías para la era industrial del capital de las metrópolis que marcará el siglo XIX. Sin el desarrollo del comercio esclavo Atlántico y de la esclavitud en América no se hubiera formado la era del capitalismo. Por tanto, la esclavitud del negro en América tiene un basamento económico. En el universo hispano se le añade el prejuicio contra el trabajo manual. Es, durante este proceso, que la esclavitud oscurece su piel.

*** En este complejo proceso se fue conformando uno de los componentes de la cultura y la nación cubanas, generalmente llamado afrocubano —término que confunde más que aclara al presentar lo negro como africano, permanente e independiente de lo cubano—. Así, el componente negro de la cultura y la sociedad cubanas, no será, en el decurso del tiempo, el resultado de la permanencia de las multiculturas africanas, sino que constituirá en sí mismo una manifestación cultural nueva; distinta, en primer lugar, de los diferentes elementos africanos originales, y de todos en su conjunto y, en segundo lugar, integrado, interactuado e interdependiente de la evolución de la cultura del blanco que, a su vez, también se transforma de lo español a lo criollo. (Eduardo Torres-Cuevas: *Historia de Cuba-1492-1898*, Editorial Pueblo y Educación, La Habana, 2006).

Las estructuras económicas que provocan ciertas tendencias sociales pueden desaparecer una vez transformadas las causas que las crearon pero lo que más lentamente cambia, la "larga duración" de los procesos sociales, es la mentalidad. Esta actúa como resistencia al cambio y conforma los prejuicios que prejuzgan. En estos casos, el juicio y la racionalidad, ya están predefinidos. Actúan para fundamentar y justificar el prejuicio. En consecuencia, las ideas no son un resultado del libre ejercicio del pensar sino de las cadenas impuestas y ocultas en lo profundo de las mentalidades. Lo racional se convierte, en estos casos, en justificaciones prejuiciadas. Su permanencia, la del prejuicio, sutil y, a veces, inadvertido, es asombrosamente larga aunque ya no tenga el sustento originario; en nuevas condiciones, se mueve, oculto en el interior del cerebro, en busca de nuevas bases de sustentación y las encuentran y muta como las bacterias frente al antibiótico de nueva generación.

Tu pregunta me motiva a explicar, aunque sea de modo somero, la evolución posterior del tema. En un segundo período, desde la segunda mitad del siglo XVIII hasta mediados del siglo XIX, se introduce una nueva cosmovisión nacida del debate de la Ilustración, con la conceptualización de la sociedad laica y republicana sobre la base de la soberanía del pueblo y el desarrollo del constitucionalismo. Fundamental para el tema es el debate filosófico sobre la condición humana y el jurídico sobre el derecho de propiedad. La separación de la Iglesia y el Estado, con la consecuente pérdida de poder terrenal de la primera, incrementa los mecanismos jurídicos de compartimentación social. Durante este período, la esclavitud adquiere sus formas más intensas y el comercio Atlántico de esclavos sus cifras más elevadas, ambos procesos, producto del desarrollo de la plantación esclavista. En Cuba, en lo fundamental, esta institución fue azucarera o cafetalera. La plantación esclavista constituye una unidad que, a diferencia de los hatos y corrales medievales anteriores, funciona con conceptos del capitalismo como ganancia, pérdida, préstamo, inversión, productividad. El esclavo es una inversión, una propiedad mercantil. A él debe extraérsele la mayor productividad por lo que se calcula, desde el tiempo de vida útil hasta su rendimiento por jornada. Este tipo de empresa capitalista desarrolla la explotación intensiva del trabajo esclavo pero, a la vez, promueve el desarrollo tecnológico azucarero, el ferrocarril y las complejas actividades de las ciudades-puertos. En estas últimas, surge un activo artesanado de blancos y negros y mulatos libres. Lo más significativo del debate jurídico es que el esclavo se compra y se vende como una mercancía más; por tanto, su dueño tiene un derecho de propiedad. De ello se derivan dos consecuencias, una filosófica: el esclavo es un objeto no es un sujeto, en consecuencia, no posee la condición humana; la otra, jurídica: toda abolición debe ser indemnizada. Este racismo que fundamentó el sistema plantacionista era más despiadado que todos sus precedentes. A finales del siglo xviii, unido con el inicio de la fase industrial del capital, surge el movimiento abolicionista, con una raíz religiosa y otra económica (la necesidad de consumidores en los mercados; el esclavo no tiene capacidad económica). Es en Haití donde el propio negro, sin paternalismos, conquista su libertad y, con ella, demuestra su condición humana. Pero, lo imperdonable, fue que "no respetaron el derecho de propiedad". Demostraron que, no eran un objeto, propiedad de "alguien", sino sujetos de su propia historia.

Las independencias americanas se producen en este contexto internacional e ideológico. En ellas, existe otra historia y es aquella de cómo las oligarquías latinoamericanas logran convertirse en la élite hegemónica de las nacientes repúblicas a partir de esa vieja historia de la "limpieza de sangre", de la segregación legal del indio, de la destrucción de su cultura, de la discriminación social y de la explotación económica. Hubo conquistas y represiones, tan sangrientas como las coloniales. La conquista, por ejemplo, del Arauca, en Chile, o de la Patagonia, en la Argentina, son acontecimientos de extrema crueldad para someter o extinguir a aquellas poblaciones existentes en dichos lugares. Son reproducción y continuación de los métodos de la conquista solo que modernizados y con una justificación decimonónica.

En un tercer período, trascendental para el tema, de mediados del siglo XIX a mediados del siglo XX, el positivismo, la antropología y la antropometría, fundamentan el racismo. Ahora, no será ni desde una concepción teológico-medieval ni desde una jurídico-filosófica; será desde una concepción pseudocientífica de las razas y de sus características. En la nueva propuesta, junto al surgimiento de la conceptualización y división moderna de las razas surgen las fundamentaciones de las razas superiores e inferiores. Se establecen las cuatro razas —blanca, amarilla, negra y mongólica— y sus características —medición de cráneos y huesos para determinar superioridad o inferioridad—. El darwinismo, una de cuyas tesis más importantes es el evolucionismo, apoya, en ciertas tendencias, una especie de evolución racial y antropológica asociada al llamado darwinismo social. Sobre este paradigma, los tratados teóricos, históricos y científicos desarrollan las tesis que servirán a las nuevas guerras de conquistas, no contra herejes sino contra razas inferiores necesitadas de tutelaje. En consecuencia, se fundamenta la contraposición Civilización *vs.* Barbarie, en la que la inferioridad de las razas negra, amarilla y mongólica, las hacen incapaces de alcanzar el pensamiento abstracto y complejo de la civilización moderna. Todas estas corrientes fundamentaban la exclusión de lo diferente, descalificándolo como expresión cultural y social, base de toda dominación, dentro y fuera de una misma nación; base del colonialismo, del imperialismo, del neocolonialismo, del fascismo, de la división y segregación social (algo más, más que algo, que la división de clases, porque el racismo es, también, una división al interior de una misma clase social).

Entre los hechos más trascendentes de la historia intelectual cubana está la inteligente argumentación martiana contra el esquema de civilización frente a barbarie. Utilizado por Domingo Faustino Sarmiento, como base del predominio civilizatorio del criollo blanco en las nacientes sociedades latinoamericanas, era, también, el argumento "científico" para la fundamentación de una "cubanidad blanca", excluyente y racista. Martí, previsor del peligro, afirma que no hay verdadera batalla entre civilización y barbarie sino, y obsérvese la profundidad de la idea, entre "la falsa erudición" y la "verdadera naturaleza"; de ahí, su otra idea fundacional, cubano es más que cualquier división de colores pero, la justicia hay que comenzarla por reconocer que el negro ha tenido que vencer y tendrá que vencer mayores obstáculos para ocupar el lugar que le corresponde, que lo que ha tenido que vencer y tendrá que vencer el blanco humilde. La igualdad de los desiguales no es igualdad, es una falacia ignorante.

Es importante destacar que, cuando estas tendencias del racismo científico estaban en boga, se estaba produciendo la extinción de la esclavitud en Cuba (el decreto final se promulgó en 1886). Era necesario sustituir la frontera legal que significaba la esclavitud, por una nueva, la social, que sirvió de base para la república enajenada surgida en 1902. Agregaría un cuarto período, de los años treinta del siglo xx a los setenta, donde destacaría la obra de Fernando Ortíz, en particular *El engaño de las razas*, y los debates de los años de las décadas de los cuarenta y cincuenta, y lo que significaron *La Antropología estructural* y *El pensamiento salvaje* de Levi Strauss, el funcionalismo y otras escuelas de pensamiento social. Y, por último, el período actual, donde los pueblos de diversos orígenes, hasta ahora sin voz sonora y con intérpretes externos, ganan el espacio social, político e intelectual del que estaban excluidos. No es un tiempo triunfal; es un tiempo de debates y luchas inteligentes donde no se pueden subestimar los refugios oscuros en los cuales se preparan los dominadores de hoy, herederos de los que construyeron imperios, para la recuperación de espacios perdidos, contando a su favor con una acumulación de inteligencias, capitales y altas tecnologías. Ello exige la responsabilidad del debate porque todo presente no es más que un acumulado selectivo de lo histórico con el cual se pueden construir nuevas historias, historias distintas pero siempre con intención desde un saber limitado, intereses reales y actuantes y cosmovisión ya estructurada.

Segunda parte

Tras más de 50 años de Revolución, ¿qué valoración usted realizaría acerca del tema del racismo en la etapa actual?

Por suerte conozco bastante bien cómo se desarrolló la sociedad anterior y cómo se ha desarrollado la actual. Hay cuestiones que son referencias. No es lo mismo lo que tú lees en un artículo a lo que vives en la calle. El artículo está matizado por las visiones y experiencias personales. Vivir es lo más importante y lo más difícil es transmitir lo vivido. A mis estudiantes les digo que nuestro peligro mayor está en que las generaciones actuales no tienen la memoria histórica del pasado; e insisto mucho en que la memoria no es genética, no se hereda. Lo que aprendió mi generación no tiene ni remotamente que conocerlo la de mis hijos. Existieron cosas que, para ellos, no son imaginables porque, simplemente, no existen.

No obstante, sí quisiera recordar dos o tres "detalles" perdidos por "la desmemoria" —aunque pudiéramos hablar de muchas cosas—, que son mucho más que "interesantes". Por ejemplo, en el parque central de la ciudad de Santa Clara, capital de la entonces provincia de Las Villas, los negros no podían pasearse por su centro antes de enero de 1959; en el Prado de la occidental ciudad de Pinar del Río, los negros tan solo podían llegar hasta determinados lugares; existía un pueblo en la entonces provincia de La Habana cuyos habitantes se vanagloriaban de que allí no habían negros; a determinadas escuelas, sociedades o clubes de recreo, los negros no tenían derecho a pertenecer. Hay algo que me llama la atención. Casi todo el mundo recuerda ciertos hechos históricos sobre los que reiteradamente se escribe y, sin embargo, apenas puede reconocerse el contexto social —particularmente racial— en que se produjeron, lo cual permite las más variadas interpretaciones.

Por ejemplo, en el siglo XIX ocurrió la Conspiración de la Escalera que, más que una conspiración, fue una represión dirigida al sector de los negros y mulatos libres. En ella fueron asesinados o torturados, entre otros, el hacendado Pimienta, el poeta Plácido, el doctor Dodge, el músico Brindis de Salas padre. Todos reunían ciertas condiciones: negros o mulatos libres; hacendados, artistas o poetas; y, lo más notable, miembros o relacionados con una naciente y poderosa clase media negra y mulata. Este movimiento era, también, generador de una nueva expresión cultural "cubanísima", que no excluía ni el "sarao" ni el salón de baile. Porque es muy importante recordar que el baile de salón originó nuestra orquesta típica, evolución de la agrupación de la contradanza francesa. Y esas orquestas fueron formadas por negros y dirigidas por negros. Esta represión no fue por problemas clasistas sino por problemas racistas. Más que el hecho histórico en sí, lo importante es que sentó un precedente y, a la vez, quedó trazado el límite de lo permitido a los negros económica, social y culturalmente. Esto, ya no es el hecho histórico, sino un importante componente de la sociedad real, de la sicología social. En el siglo XX ocurre otro hecho semejante solo que no es culpa del colonialismo sino de las estructuras discriminatorias de la república "democrática e independiente". Me refiero a la represión, en 1912, del movimiento de los Independientes de Color. Al margen de los orígenes, de las causas, de los muertos, fue el impacto social de aquella represión lo que permitió agudizar las fronteras sociales, al asentar, como parámetros de conducta, el temor y el miedo. Y todo ello resulta muy importante a la hora de analizar lo que pasó a partir de 1959. La sociedad cubana no pudo cambiar todo lo que se intentó cambiar; las intenciones de cambios políticos resultaban más factibles que las transformaciones de las mentalidades soldadas durante siglos; esas mentalidades, no precisamente desde la prensa sino en la calle y en lo profundo del hogar, auparon, solapadamente, al racismo, entre otros males, y es uno de los mejores ejemplos del origen y mantenimiento de la llamada "doble moral", en realidad "una moral alienada", vergonzante y vergonzosa generadora del disimulo y la hipocresía.

Pero, también me gustaría trazar una frontera a partir de los años de 1987 a 1991, inicios de la crisis de la sociedad cubana (el llamado Período Especial), cuando personas, muy cuidadosas del lenguaje que empleaban, comenzaron a introducir frases abiertamente racistas y asumir actitudes que implicaban una nueva posición hacia el otro, hasta entonces su igual y, ahora, su diferente. Cuando, junto a aspiraciones y gustos generados en ciertas latitudes, estas personas quieren distanciarse y diferenciarse, por condiciones económicas, de los que, hasta entonces, habían sido, formalmente, sus iguales. Lo peor es que el prejuicio tiende a trasmitirse, como el VIH, y vemos personas muy humildes con cargas racistas que dan pena. Porque muchos prejuicios discriminatorios, como el machismo y el racismo, anidan, justamente, en la pobreza cultural, matrona de la pobreza moral. Esto a mí me dio la señal de que el racismo, junto a otros graves problemas, no solo sobrevivía, cosa que todo el mundo sabía, sino, lo más preocupante, cómo y con qué rapidez puede recuperar los espacios perdidos en cualquier sociedad. Porque el racismo no desaparece, se reduce, se oculta, pero en condiciones propicias, vuelve a florecer. Por tanto, la lucha contra el racismo es una batalla permanente, sistemática pero, sobre todo, inteligente. No se logró, durante estos años, todo lo que se quería acerca de su superación. Cuando Ortiz hablaba acerca de lo cubano y trataba las zonas marginadas, no creo que pensara que la marginalidad iba a tener la fuerza que tiene un siglo después.

La marginación se mantuvo pero se incrementó durante el Período Especial. Así, todo joven que tiene menos de veinte años nació durante dicho Período y, para muchos de ellos, el socialismo, la realidad, es esta. Lo otro, lo otro es una historia que hacen los viejos.

¿Cómo se fueron agudizando, en las últimas décadas, los problemas de la sociedad cubana? Fíjate que te digo agudizando porque es importante destacar que siempre estuvieron; en muchos casos eran problemas no resueltos o mal resueltos. Sus causas, desde el origen, son una extraña mezcla de incapacidades, oportunismos, burocracia con cuotas repartidas de poder, poder con cuotas de prepotencia, doble moral con un discurso ético y una práctica corruptora, imposibilidad burocrática de creación y, por tanto, temor paralizante a todo riesgo. Todo ello combinado, genera la marginalidad de diversas características como una de sus manifestaciones; y está unido, también, a que es fácil trabajar el prejuicio, aunque esté escondido en lo último del cerebro. Estos son problemas que nuestra sociedad debe y tiene que eliminar si aspira realmente a ser ella y, de no ser ella, la que venga va a venir con esas mismas cargas racistas a las que se sumarán las que existen en otras partes. Prejuicio-racismo-segregación-marginalidad-discriminación forman un proceso de tumoración maligna que puede destruir el más hermoso proyecto de dignidad humana.

Problema inmigración-racismo en el mundo, ¿cómo resolverlo?

Actualmente, el problema de la inmigración lo veo sin solución alguna pues, ante todo, tendrían que producirse verdaderas reformas de fondo en las sociedades capitalistas del norte y en las sociedades dependientes del sur. La inmigración es un resultado de complejas composiciones y dinámicas sociales. Si no se resuelven las causas, no solo se mantendrán las migraciones con las características actuales sino que, posiblemente, se incrementarán. Es lo que se llama migración económica, o sea, en la medida en que la riqueza se ha ido concentrando en determinadas zonas del mundo, las poblaciones más desfavorecidas tienden a emigrar a ellas, por razones económicas.

Desde los años noventa del pasado siglo existen datos que evidencian dicha situación. Por ejemplo, 80 % de la producción mundial la consume 20 % de la población mundial, que está, precisamente, en el Primer Mundo; y, 20 % de la producción mundial queda para 80 % de la población mundial que está, precisamente, en el Tercer Mundo. Es natural esa migración del sur al norte.

¿Cuál es el gran cambio de los últimos tiempos? Pues que esas emigraciones de los más desfavorecidos ya son millonarias y son capaces de cruzar el desierto del Sahara o de lanzarse al Mediterráneo o atravesar Centro América y México como ríos humanos e incontrolables, por una causa: pobreza, desnutrición, hambre; falta de fuentes de trabajo para lograr condiciones mínimas de existencia. Al vaciar las economías del sur, al saquear sus recursos naturales, al limitar su desarrollo —proceso especialmente agudo en los últimos cincuenta años—, a las poblaciones de esos países no les queda más remedio que migrar. Según estadísticas de organismos internacionales como Naciones Unidas, Unesco, Unicef, en estos momentos existe en el mundo un porcentaje notable de zonas que padecen de hambrunas. A ello se unen importantes factores subjetivos como son los sueños y las esperanzas: la búsqueda, en el llamado Primer Mundo, de la realización personal, según la imagen televisiva y cinematográfica de la sociedad de la abundancia, es motivo suficiente —aunque la gran mayoría no lo logra—, para lanzarse a las más peligrosas e inciertas aventuras; al mismo tiempo, el ofrecimiento a personas intelectualmente capacitadas de condiciones de vida a las que no pueden aspirar en sus países de origen, ofrece a esas sociedades primermundistas una corriente nutricia de alta calidad. Lo significativo de esto último es que el saber de esas personas va a contribuir al enriquecimiento de los países ricos, y no al de los suyos que siempre tendrán el consuelo de una mejor o peor remesa. Pero, y no se olvide, son los países receptores de inmigrantes los que escogen a quienes reciben legalmente. Por una parte, les interesa la captación de "cerebros", necesarios para mejorar sus niveles de desarrollo. En estos casos, el interés científico-tecnológico prima sobre el aspecto racial. Por otra, está la necesidad de "brazos" —mano de obra barata— cuya abundancia hace que la oferta supere las necesidades de países con serias crisis económicas. Aquí, en los "brazos", la discriminación racial y cultural es mucho más directa y presenta todo tipo de sistemas de explotación, desde la esclavitud, la migración ilegal, las fábricas de bajos costos y clandestinas. En fin, todos los horrores que albergan las sociedades. Migran "cerebros" y "brazos" pero el corazón, ¿emigra o se queda? O ¿Debe partirse en dos?

En nuestro continente ya se perfilan en algunos países, en especial miembros del Alba, la puesta en práctica de algunas medidas favorecedoras de la presencia e historia de nuestros pueblos y comunidades autóctonas. En su criterio, ¿este siglo XXI *nos deparará un final de centuria mejor al anterior, en relación con el tema del racismo? ¿Se atreve a preconizarlo?*

No, resulta muy difícil hablar con o sin una bola mágica del destino y los accidentes futuros de la historia humana. Decía Engels, ahora casi olvidado y antes tan citado, que la sociedad era como un paralelogramo de fuerzas y la resultante, en mi opinión, no es como en las Matemáticas, donde usted toma todos estos vectores de fuerza, los va sumando y, al final, tienes la resultante. En ciencias sociales, el vector aparentemente menos importante, puede ser decisivo. Podríamos citar decenas de ejemplos históricos de sucesos que parecían que no podían ser y fueron.

Al respecto podría citar al teórico marxista italiano Antonio Gramsci, ahora tan de moda y antes obviado, quien en una de sus cartas —que estimo genial—, escribió que "lo único predecible es la lucha". Lo predecible es que hay que continuar luchando por lograr lo mejor del ser humano y de la sociedad humana. Pero ello siempre va a encontrar resistencia; fuerzas de resistencia, enemigas de ese proceso que, por lo general, también concentran riquezas e inteligencias. Por tanto, la batalla nunca va a ser fácil aunque se tengan razones y, más que razones, realidades brutas.

Lo que sí hemos observado —desde finales del siglo xx y principios del actual— es un fenómeno nunca visto con anterioridad y es la fuerza con que han ido resurgiendo las comunidades indígenas, el pensamiento de América, la propuesta de sociedades americanas, e incluso, cómo los sectores populares han ganado en espacio político. Esto es una gran esperanza para pensar que el siglo xxi —por lo menos, claramente para nuestro continente—, es una centuria de desarrollo y de construcción de la verdadera América Latina, entendiendo por tal, la que nace sangrante del interior de sus entrañas. No debemos olvidar que la sociedad latinoamericana estaba cimentada en esa discriminación racial y social del indio, del negro, de espacios dominados y dominantes de las élites políticas y, evidentemente, lo que hemos visto en Venezuela, Ecuador, Bolivia, Perú es la ruptura de ese esquema de dominio. Esto no quiere decir que en esas sociedades no se mantenga solapada, la cultura del dominador, pero sí este esquema se ha quebrado y, en estos momentos, está sujeto a importantes reajustes que no pueden ser subestimados. A esto hay que agregar la presencia, cada vez más consciente, de las grandes comunidades latinoamericanas. Es en ellas donde radica la construcción de la futura América Latina, de aquella que expresa la pluralidad, la riqueza y todo lo que significa el mundo de tantas y tantas etnias y composiciones sociales que, en lugar de hostilidad, crean colaboración y cooperación. En este sentido van ganando un espacio impredecible para el futuro. Pero, son fuerzas muy difíciles y muy duras —estructuradas y perfeccionadas sistemáticamente en el ejercicio del poder político y económico durante siglos— las que hay que combatir. Debido a ello, lo más importante es la lucha inteligente; es la conciencia de que lo que se logre se ha de lograr luchando. No hay otra variante. Nada va a caer del cielo, ni va a ocurrir inevitablemente, una teoría que desafortunadamente muchos marxistas sostuvieron. La lucha inteligente, comprometida con lo mejor del ser humano, culta e informada es la única que va a garantizar un buen contendiente en la lucha por un porvenir mejor.

Antiguamente, se presentaba a las religiones de origen africano como manifestaciones de barbarie, que conducían al delito. Se incluían también en esto manifestaciones de la música y de la danza (rumba, guaguancó...). ¿Cree usted que este criterio persiste aún en nuestro país?

Un problema que tenemos los cubanos es la tendencia a lo absoluto, a descalificar lo que no está en mi visión o en mi línea de intereses. Lo cierto es que en Cuba, lo más generalizado, es que el "creyente religioso" no excluye sino que incluye en su cosmovisión todo tipo de creencias. Lo normal, hace cincuenta años, en casi todos los pueblos y ciudades cubanos, era la presencia del cura del pueblo, o del pueblo vecino, del masón, de los espiritistas —muy abundantes hace cincuenta años, y ahora algo escasos y no siempre confiables—, de alguna que otra denominación protestante —no muy generalizadas por tener un cierto sello norteamericano, sobre todo en sus himnos y juegos dominicales, hoy, como una de las expresiones de los sentimientos religiosos cubanos— y las sincretizadas religiones de origen africano. Era un verdadero entramado, con numerosos vasos comunicantes, de creencias entre las cuales, tú armabas la tuya. Lo que cada cual le atribuye a lo que cree, no siempre es resultado de un conocimiento; muchas veces lo es más de la imaginación y el deseo de que sea así. Así que no importaba lo que se dice en tribunas y púlpitos, porque la práctica religiosa no es un problema intelectual, es la interioridad autoconstruida de mi universo trascendente; se trata de las garantías para esta y la otra vida. Por ello, la religiosidad del cubano es tan rica y compleja, porque escapa a los esquemas reductores de las estructuras formales de una iglesia o de una secta. ¿Sabes?, he pensado que son pocos los universos religiosos tan libres y democráticos como el nuestro. En este proceso, pudo ser condenado o estigmatizado, en una época u otra, por una razón o por la contraria, tal o más cual creencia religiosa, pero lo que ocurre es que solo se retrae, para, en condiciones propicias, volver a ser reconocible en el vitral religioso cubano. En la doctrina cristiana, se les llamó a las creencias de origen africano, "bárbaras", pertenecientes a una etapa inferior del desarrollo humano. Fíjate que ello juega con el racismo al unir razas inferiores con barbarie y con creencias precristianas y politeístas.

En lo referente a la música, ocurre otro tanto. La presencia de conceptos y actitudes excluyentes y que, a veces, se atribuyen la expresión exclusiva de lo cubano. Por ejemplo y, en lo que respecta a la música cubana, en especial la del género lírico y a la cancionística, a autores como Ernesto Lecuona costó trabajo escucharlo durante un buen tiempo en nuestros medios de difusión. Piezas creadas por él como *La Comparsa* y *Siboney* son símbolos extraordinarios, acabados y exquisitos, representativos de nuestra cultura, de su amplitud y larga evolución. Igualmente, ocurrió con José White —extraordinario músico negro cubano que vivió y murió en Francia—, que compuso otro símbolo dentro de nuestra música, *La bella cubana*, con una imbricación increíble en géneros como la contradanza y la habanera. Otro ausente —ausencia que no justifica las críticas a determinados criterios que él pudo expresar— lo es Eduardo Sánchez de Fuentes. Su Habanera *Tú*, o su *Mírame así* o *Corazón*, constituyen tres expresiones universales de la cultura cubana. Nada justifica su ausencia. Igual ocurre con otros autores de esta Isla como Manuel Saumell Robredo, Amadeo Roldán, Ignacio Cervantes... ¿Dónde están? ¿Enclaustrados para el disfrute de un escaso y selecto grupo de oyentes? ¿Dónde los puedo escuchar? En los años cincuenta existía un programa de televisión, *El Álbum Phillips*, que divulgó y popularizó este tipo de música. Después del triunfo de la Revolución, Esther Borja continuó, durante décadas, esa amorosa labor. El programa se llamó, desde entonces, *Álbum de Cuba*. Ello para decirte que, en mi opinión de oyente, la música cubana, en cualquiera de sus expresiones, contiene todos los colores, signos y notas, inscritos en nuestro pentagrama social.

Tengo la impresión de que los jóvenes cubanos de hoy apenas si tienen noción de la impresionante herencia que les pertenece. Cuando pienso en la década de los cincuenta del siglo pasado, tengo la impresión de que fue la verdadera década maravillosa o fabulosa de la música cubana. Pero ella es apenas conocida. Cómo hablar de nuestro universo musical solo haciendo referencia a cuatro o cinco personalidades que se repiten hasta el cansancio; o restringiendo el conocimiento de ciertas figuras o acontecimientos musicales a la celebración de centenarios y cincuentenarios que solo tienen la validez de un día de recordación como se hace con lo muerto. Es un modo de ratificar su defunción. Un simple recuerdo. La radio, la televisión, el teatro, el mundo sonoro, lo vuelve a colocar en el olvido. Hemos creado una cultura de fechas y homenajes pero eso es una falsa cultura. La verdadera cultura es la que nos acompaña día a día; la que hace sonar una melodía en el interior de nuestras mentes porque la tenemos incorporada. No solo están ausentes muchos de los que se fueron, o de los que hicieron su carrera fuera de Cuba desde antes de la Revolución. Incluso, están ausentes muchos de los que se quedaron, con el mérito de hacerlo a pesar de lo bien cotizados que estaban en ese momento, y perdiendo el mercado internacional. Solo algunos nombres: Barbarito Diez (la voz del danzón, y cuya interpretación de *La mora* marcaba la herética Noche Buena cubana), la Orquesta Aragón (dueña absoluta de la preferencia bailable cubana), Ramón Veloz (la voz más popular de la música campesina), El Jilguero de Cienfuegos, Esther Borja (la intérprete cuidadosa de la cancionística cubana), Rosita Fornés (la vedete por excelencia), el Conjunto Casino (que, con sus cantantes no fue segundo de nadie), y tantos otros, a quienes pido disculpas por no incluirlos en esta referencia. No es hacerle el homenaje de un día, es llevarlos a nuestra vida cotidiana. Del mundo bailable cubano ¿qué nos queda? Quiénes son los que recuerdan la música de las orquestas Sensación, Melodías del 40, Sublime, Neno González o la Riverside, Hermanos Castro, Ernesto Duarte, Bebo Valdés, Pérez Prado, Chico O'Farrill o de compositores como René Touzet, Juan Bruno Tarraza, José Antonio Méndez, César Portillo de la Luz, Frank Domínguez, Osvaldo Farrés (autor de *Quizás, quizás*, el número musical cubano más interpretado en el mundo); o las voces de los que se fueron como Rolando la Serie, Olga Guillot, Blanca Rosa Gil, Orlando Vallejo, Orlando Contreras, Panchito Riset, Vicentico Valdés, ídolos de los escuchadores de boleros, sobre todo en las vitrolas de esquinas y bares y en las noches de los barrios menos lujosos de La Habana. Y, lo interesante, es que respondían a gustos musicales diferentes. Solo he mencionado aquellos que me han venido a la mente en esta entrevista, faltan muchos. Pero lo importante es que, sin sumergirnos en esa riqueza musical, es imposible reconocer nuestro pasado; resistente a todo cambio superficial o por decreto, pero irremisiblemente perdido si no llegara a estar en la memoria de las jóvenes generaciones. Y es un mito racista excluir a los negros de cualquiera de las expresiones musicales cubanas o restringirlos a determinados géneros.

La compositora Martha Valdés se definió, en una oportunidad, como alguien que formaba parte de la clase de los oyentes. No soy musicólogo pero sí pertenezco a esa clase de los oyentes y bailadores para quien creo que se hace la música. Mi buena memoria me permite recordar que hubo una época en que solo en la ciudad de La Habana había más de veinte emisoras de radio; en ciudades como Cienfuegos, más de cuatro. La música estaba en todas partes, llegaba al hogar desde la vitrola de la esquina, desde el radio del cuarto o desde el televisor de la sala. Como siempre hemos sido dadivosos la hemos puesto lo suficientemente alto como para que la disfruten nuestros vecinos. Emisoras como CMBF permitieron escuchar a Tchaikovsky, Beethoven o Mozart. Pero a la vez la música popular ocupaba los espacios de emisoras, algunas como Radio Musical, Radio Nacional, Radio García Serra, Radio Mambí, Radio Suaritos, para no mencionar intencionalmente las más famosas. El público era el que imponía la música que se tocaba a través de sus peticiones. Usted podía oír lo mismo un guaguancó, que un paso doble español, que una ranchera mexicana o un tango argentino. Existían emisoras especializadas en música norteamericana pero, lo más generalizado, era que en todas las emisoras podías escuchar lo mejor, o por lo menos, lo que estaba de moda por allá, por el norte. Sin embargo, fueron los grandes ritmos cubanos los que ocuparon la mayoría de los espacios. El mambo, el cha cha cha se impusieron en todo el mundo, este último, justo cuando surgía con fuerza el *rock and roll.* Se entabló un diálogo musical, lleno de influencias mutuas, de nuevas formas de orquestación y de interpretación. La Aragón puso de moda un cha cha cha, *En la Capital,* donde se decía que “en el interior o en la capital, me divierto más con el cha cha cha”. Por eso considero que no tiene sentido imponer ningún criterio excluyente. Boleros de letras muy diversas en su calidad, rumbas, congas, todo formaba parte de un universo que determinaba no solo el ritmo de la vida cubana sino hasta una cierta filosofía popular de la vida. Piezas como *El negrito del batey*, *Espíritu burlón*, *Negro de sociedad*, *El brujo de Guanabacoa*, *Tiembla tierra*, para solo mencionar algunas, reflejan el sentido crítico de la vida musical cubana.

Hay momentos en la vida en los que necesitas escuchar un tipo de música porque mantiene el espíritu tranquilo, y existen otros en los que deseas que vibre todo tu cuerpo. En mi caso, confieso que siempre he sido bailador —aunque ya no lo hago como antes—, pero sigo bailando y he bailado todos los ritmos cubanos. Recuerdo que me pasaba la vida cazando a la orquesta Aragón (comenta que posee 480 piezas de dicha orquesta) para bailar con ella. Casi todas las emisoras de radio tenían programas de media hora, e incluso, de una hora, con esa orquesta. Mi esposa es fanática al dúo Buena Fe, y adquiere, aun antes de que se lance oficialmente, cuanto disco nuevo crean. Por la calidad de su letra, su mensaje, su interpretación, su valor, su ritmo, forman ya parte de la riqueza creativa de nuestro tiempo y, diría sin temor a equivocarme, de todos lo tiempos, porque son la genuina expresión de su época. Entonces, ¿cuál es la diferencia entre White, Lecuona, Lay, Portillo de la Luz, José Antonio Méndez, Tarraza, Touzet, Silvio, Pablo, Juan Formell, Adalberto Álvarez, José Luis Cortés y Buena Fe, o las interpretaciones tan extraordinarias de la Camerata Romeu, Ars Longa, del Ballet de Litz Alfonso o las voces de Elena, Moraima y Omara? Para mí no existen, a la hora de hablar de lo que ha hecho grande a nuestro pueblo, diferencias en sus expresiones musicales, solo en los gustos personales.

Francamente, me considero kantiano —seguidor de Kant— en cuanto a estética, o sea, el gusto se crea, no nace determinado; el gusto se amplía si se cultiva, o se reduce, si se le abandona. Lo que sí da pena es que existan personas con gustos reducidos, o que nazcan y mueran sin disfrutar de los acontecimientos extraordinarios que hacen sublime parte de nuestra existencia, que permitan tensar todas las capacidades humanas de sentir, imaginar y soñar.

Me gustaría decirte que la década de los sesenta, también fue extraordinaria. Estuvo marcada por una amplia inquietud por transformar toda la calidad de la vida y del arte motivada por el proyecto revolucionario. Fue la época mayor del filin, la de César Portillo, Frank Domínguez, José Antonio

Méndez, la de Freddy, Moraima, Elena, Omara y Gina León. La época de los grandes cuartetos como los Modernistas, los Bucaneros, los Meme y los Zafiro; pero fue, sobre todo, donde surgió lo más auténtico de la nueva expresión musical generada por la Revolución, la Nueva Trova con sus letras críticas, poéticas y comprometidas con el amor y el hombre. Los nombres de Silvio, Pablo, Noel Nicola, Lázaro García, Leo Brouwer, llenan esta época extraordinaria donde pensar y cantar se hicieron poesía. *Oda a mi generación* o *Debo partirme en dos* de Silvio definen la actitud de una generación. El título de una canción de César Portillo de la Luz: *Canto luego existo*. Siento que en el mundo artístico cubano actual existe un renacer de muchas cosas; pero ello se verá en poco tiempo. Existe una generación muy buena, de extraordinaria calidad humana y artística, que respira en un mundo que invita a pensar y a sentir, a recrear la realidad. En suma, donde haya arte, cultura, inteligencia, sensibilidad, gusto, siempre habrá un pedacito de Cuba que hay que salvar y proteger; y Cuba es multicolor.

Teniendo en cuenta el actual programa de cambios o reformas que se realizan en el país, ¿considera usted algún tipo o basamento de línea programática que pudiera contribuir no solo a eliminar la pobreza en el país, sino que también contribuyera a la eliminación de los prejuicios raciales y, por consiguiente, al ejercicio de la discriminación?

Existe una razón básica de toda discriminación que es la situación y condición económica: mientras existan diferencias en las posibilidades y potencialidades, habrá discriminación. No hablo de igualdad en el sentido de igualitarismo, sino de igualdad de oportunidades. Este es un punto fundamental en esos lineamientos para el logro de la estabilidad real de la sociedad cubana. Todos tenemos iguales posibilidades, porque sabemos que podemos desarrollar lo mejor de nosotros mismos en nuestras propias perspectivas de trabajo y de vida. Pero no todos tenemos las mismas oportunidades. La ecuación debe resolver la relación entre posibilidad y oportunidad. Y todos los lineamientos trazados durante el pasado Congreso del Partido Comunista de Cuba se encaminan a ello. Mis mayores expectativas están en la Asamblea que se celebrará en enero próximo, donde se discutirán problemas sociales y políticas esenciales. Aspiro a que todos seamos capaces de discutir todo lo que sea necesario, con la profundidad y seriedad que amerita y buscando las soluciones más inteligentes aun cuando parezcan ser arriesgadas. La base para todo ello es un amplio ejercicio democrático sin restricciones y límites apriorísticos.

En relación con este tema, en nuestra enseñanza educacional en general ¿qué nos falta? Igualmente, la creación de cátedras de estudios relacionadas con la afrodescendencia, ¿no podrían tenerse en cuenta en nuestros programas actuales de estudios universitarios?

Nos hace falta corazón. Saber que un aula es un templo sagrado; cuando usted le habla a un grupo de alumnos saber que les está comunicando valores y conocimientos. Por tanto, usted no puede ser un farsante, ni un ignorante. Saber que tenemos una tradición pedagógica que nos sirve de asidero para cualquier empresa educacional y me atrevería a decir, que poseemos una tradición pedagógica a la altura de la mejor del mundo. Al respecto hablo de Félix Varela, de José de la Luz y Caballero, de Enrique José Varona, de Aguayo, de Baldor, de Dihígo, de los Vitier (Medardo, padre y Cintio, hijo), de todos los grandes pedagogos cubanos.

Estimo que, en lugar de estarnos desgastando en la confección de libritos, hay que poner en manos de los maestros los libros que enseñaron al maestro cubano una ética, una profesión y un modo de transmitir el conocimiento. El principio de Ciencia y Conciencia, es el principio que todos los pedagogos cubanos debieran trazarse. Ciencia para crear Conciencia, y Conciencia para hacer Ciencia.

Recuerdo a una tía abuela que empezó siendo maestra cuando se inició la etapa de la República neocolonial en nuestro país y, en su aula, siempre estuvo presente un retrato de José Martí, al igual que en su casa. A un lado del retrato, siempre hubo un florero al cual cada día le ponía una rosa blanca. Era una maestra de Primera Enseñanza de escuela pública a quien incluso, a veces, ni le pagaban. Y esa imagen para mí siempre ha sido inolvidable.

El maestro es la base de toda sociedad. Es quien realmente construye una sociedad porque construye ciudadanos, forja hombres y mujeres que son los ciudadanos que hacen que el país se desarrolle y crezca; de aquí salen los científicos, intelectuales, obreros, campesinos. La escuela primaria es el primer eslabón de toda construcción social; es la forja del ciudadano, con deberes y derechos, que ejerce democráticamente su acción cotidiana y permanente. Por tanto, lo que se necesita es corazón, como punto de partida de toda razón.

En relación con la creación de cátedras de estudios relacionados con la afrodescendencia, estimo que debiéramos tener varias. Más que una cátedra de problemas relacionados con la afrodescendencia, es crear una cátedra de Cubanía. Si logramos entender que ser cubano, no tiene nada que ver con el color; si logramos decir que todos los cubanos nos relacionamos —independientemente del color o sobre el color—, habremos ganado la batalla, porque ninguno puede discriminar a nadie. Para mí esta sería la batalla número uno, pero también habría que crear unas cuantas cátedras de formación de comportamiento ciudadano. No solo para exigirle a ese ciudadano un correcto comportamiento social sino, sobre todo, un ejercicio acertado, inteligente e informado de la democracia colectiva que sería la única que podría conformar un siempre creciente desarrollo humano, en lo espiritual y en lo social.

Quiero apuntar algo que aún no he podido acabar de asimilar, y es el concepto de Educación formal. Siempre he preguntado: ¿Desde cuándo la educación ha sido formal? La educación se refleja de una determinada forma, pero es algo que se lleva muy adentro y debe de llevarse de manera natural. Por tanto, usted forma a un ciudadano, a una persona que expresa su educación a partir de un buen comportamiento, de una forma. Mientras usted no toque el interior del otro, todo lo demás es un absurdo porque ahí se genera la hipocresía social: cuando yo me comporto como no pienso. Quiere decir que yo pienso de una forma, y me comporto de otra; puedo cumplir con la educación formal, y continuar pensando de otra forma. Es por ello que nunca he asimilado el concepto de educación formal.

Existe también otro concepto que, en lo personal, creo que se utiliza equivocadamente. Y es el de creyente y no creyente. ¡Todos somos creyentes! La esencia del ser humano es la esperanza, y esta implica una creencia. Creer en que es posible un mundo mejor; en que es posible un hombre mejor. Despojar al hombre de sus creencias es despojarlo de la condición humana, de razonar para construir un sueño; de tener fe en lo que cree. No puede vaciarse de ese contenido al ser humano porque solo quedaría una masa amorfa desposeída de toda fuerza vivificadora. Otra cuestión o tema es ser religioso o no religioso. Pero...!creyente! Yo me declaro creyente, y no soy religioso. Y este es un problema conceptual.

Pensemos que aquí, con nosotros, se hallan dos figuras de nuestra Historia: José Martí y Juan Gualberto Gómez. En su reflexión, muy personal, ¿qué opinión en la actualidad sustentarían estos dos Grandes acerca del problema de las razas en Estados Unidos y Cuba, teniendo en cuenta que ambos conocieron a la nación norteña?

En cuanto a Estados Unidos analizaría que la evolución ha sido extraordinaria —hay que reconocerlo—, pero al estilo norteamericano. Recuerdo un serial televisivo norteamericano transmitido por la televisión cubana hace años atrás, llamado *Raíces*, de una lectura sumamente profunda, y en el que se planteaba la evolución del africano que llega a la fuerza a ese país y quiere retornar a su patria en África, y luego, sus descendientes, negros de clase media ubicados en la sociedad norteamericana y formando parte de ella; un sector triunfante.

En los Estados Unidos existe una historia doble, múltiple, referida a la evolución del fenómeno racial, pero a la vez la historia de un sector desenvuelto que ha logrado ocupar determinados espacios. Por tanto, en Obama, existen varios componentes que no se diferencian de ningún presidente norteamericano blanco. Primero, la referencia a los Padres de la Patria, o la consecuente posición de heredero de una nación forjada por aquellos; segundo, la búsqueda de la realización del sueño americano; tercero, la visión del destino manifiesto de los Estados Unidos con respecto al resto del mundo; cuarto, Obama mostró como un sello (propio) que él era norteamericano, y su orgullo sería que, siendo negro, cumpliera a cabalidad el sueño americano. Por tanto, el sueño americano, en esta versión no tiene color, sino nacionalidad. En este sentido, no es Obama el único caso. No olvidemos a la secretaria de Estado, Condoleezza Rice, al lado del presidente George W. Bush. Ella, como cerebro pensante de muchas cuestiones en la política exterior de una de las administraciones más ultrareaccionarias y agresivas que hayan existido en ese país.

Considero entonces que, en esta misma relación, habrían analizado este tema tanto Martí como Juan Gualberto. O sea, los Estados Unidos tienen un presidente negro que encabeza la ofensiva imperialista en cualquier parte del mundo. Simplemente, se comporta tal y como debe corresponder a un presidente norteamericano. No se trata de si es negro o blanco, pues no es un problema de razas; se trata de un norteamericano. Esta lectura sería bueno que la hicieran también muchos cubanos, en lo referente a qué es el ser cubano.

En el caso de Cuba, cuando Juan Gualberto murió, él estaba bajo la presión de uno de los momentos más racistas de nuestra Historia, y de la frustración de muchas cosas que tanto él como Martí quisieron y no fueron. Martí no vio la República, pero el presente, consecuente con sus ideas, es una lucha por los negros y los pobres, por la eliminación del racismo y la pobreza. Si estuvieran ambos hoy aquí lo más importante para ellos sería la lucha por los desfavorecidos de siempre.

¿Desearía profundizar en algún otro aspecto?

Recordemos que la República neocolonial surgida en 1902, pese a declarar en su Constitución que todos los cubanos son iguales y otorgar el derecho al voto a los ciudadanos negros y analfabetos, creó una instrumentación del racismo que no es legal —como lo fue en otra época la esclavitud al existir la propiedad sobre el esclavo—, y desarrolló otro tipo de mecanismo sustitutivo que, en lugar de establecer una frontera legal, establece una frontera social. De manera que: no tengo el instrumento legal, pero sí tengo los instrumentos sociales para rechazarte.

Así y más allá de las limitaciones sociales y de las eliminaciones legales —por ejemplo, nuestra Constitución de 1940 enfatiza en que es punible el racismo—, el racismo se hace evidente en todas las esferas de la vida. Por ejemplo, si apreciamos fotos de claustros de profesores y de grupos de estudiantes universitarios durante las primeras tres décadas del pasado siglo, nos percatamos de que en su mayoría son blancos; con el cuerpo diplomático sucedía igual. Distinguiríamos igualmente áreas de trabajos donde el prejuicio social, avala al racial. A la vez, e independientemente de lo social y de lo legal, existe lo mental. O sea, aquello que se siembra generacionalmente desde la cuna: los prejuicios. El prejuicio está antes del juicio: prejuzga. Por tanto, no juzga. Y finalmente, el juicio se altera por el prejuicio.

Por otra parte, y no obstante el triunfo de una Revolución en Cuba, que abre infinidad de caminos a los humildes, este problema continúa. Las leyes no alteran las mentalidades, y estas funcionan directamente a partir de donde puedan ejercer o se les brinde un pequeño o un gran espacio de poder. Lo cierto es que uno de los temas más importantes a estudiar en estos momentos es cómo esa mentalidad pudo fortalecerse dentro de un proceso revolucionario. Las medidas igualitarias no son las que requiere un problema sembrado desde hace siglos.

Diría que dentro del período revolucionario hay que también distinguir generaciones. Tengo la impresión de que la instauración de becas en nuestro país en otra época ayudó a romper fronteras en una generación de jóvenes —los muchachos en su contacto cotidiano y con todos los colores de esta sociedad, crean amistades, relaciones mucho más sólidas—, no así en los padres que vienen con una carga histórica del problema y, por ende, les resulta mucho más difícil desarraigar prejuicios.

Un aspecto que no quiero obviar es el referido a la marginalidad. Al respecto, sí hubo marginalidad en nuestro Socialismo, no como cuestión de política de marginación, sino de cómo se logró preservar, dentro de esa mentalidad, el mantener un sector importante de la sociedad marginado de las grandes opciones que presenta el país. Esto se observa en algunas carreras universitarias (selectivas), como las de ciencias sociales, humanidades, a las que llegó un número menor de negros.

Necesitamos ahondar en el pensamiento. Dejar un poco la emotividad, para ser cada vez más inteligentes en las respuestas. Necesitamos pensar, pero pensar bien. Para ello se requiere de cultura verdadera, información amplia y conocimiento profundo que permitan análisis certeros; tener una mayor exigencia con nosotros mismos, y una crítica cada vez mayor. Y aquí está el punto de partida de todo conocimiento. Cuba lo necesita y no tiene tiempo que perder. Y necesitamos también que nuestros jóvenes cada día estén mejor preparados desde el punto de vista del pensamiento.

Hay algo que me alegra mucho y es que me encuentro constantemente a personas muy jóvenes, y otras que ya no lo son tanto, quienes están estudiando, trabajando, indagando, investigando y preguntándose con inteligencia. Por ello es que tengo el sueño y la esperanza que dentro de muy poco tendremos en Cuba un pensamiento nuevo, fuerte y crítico. Y esto no es más que la herencia de una tradición de pensar y, al mismo tiempo, de la necesidad de pensar.

La lucha debe ser por que la sociedad se desracialice*

*Zuleica Romay Guerra***

Primera parte

Zuleica Romay Guerra, escritora, investigadora y presidenta del Instituto Cubano el Libro, obtuvo en el recientemente celebrado Premio Casa de las Américas, el lauro Extraordinario de Estudios sobre la presencia negra en las Américas y el Caribe cotemporáneo.

Ya la Premio Casa, comentó a otro colega, que cuando estudiaba en el preuniversitario, sus compañeros, pensando que la halagaban, le decían la "altea", esas barras blancas recubiertas de chocolate, un símil más dulce de la expresión archirracista "negro con alma de blanco", pero racista igual. Al paso de los años Zuleica se ha propuesto entender por qué esos amigos que la querían, eran tan discriminatorios sin saberlo, y buscar las explicaciones a un fenómeno que tanto degrada a todos los seres humanos.

* Entrevista realizada por Susana Méndez en febrero de 2012 y publicada en el Foro interactivo El engaño de las razas, organizado por la Uneac y Cubarte.

** (1958). Licenciada en Pedagogía, Diplomada en Sociología de la Comunicación y MSc. en Marketing y Gestión Comercial. Ha recibido los premios Pensar a Contracorriente (2009) y Casa de las Américas (2012). Es autora, entre otros libros, de *Elogio de la altea* o *las paradojas de la racialidad* y *Estudios de opinión pública en el caso de la neocolonia cubana*.

Zuleica aceptó conversar con Cubarte sobre este libro acreedor de tan prestigioso galardón.

¿Cuándo y cómo surge la idea del libro Elogio de la altea o las paradojas de la racialidad*?*

Creo que ese libro fue creciendo dentro de mí desde que nací, pero específicamente en 2005 hubo un Congreso de Cultura y Desarrollo y uno de los paneles de debate era sobre la temática de los marginados y excluidos en el mundo; en ese momento yo trabajaba aquí en el Instituto del Libro, como vicepresidenta, y los organizadores del evento me solicitaron que participara en el panel con una ponencia.

Yo tenía mucho miedo de aparecerme allí con algo que se pudiera considerar panfletario, porque realmente a ese fórum internacional yo iba como funcionaria del Estado cubano. Traté de hacer un texto que no fuera propagandístico, pero no se me ocurría, hasta que un día dije "pero si yo con contar la historia de mi familia tengo", y en alrededor de tres cuartillas conté los episodios más relevantes y las figuras más descollantes de mi familia en las cuatro últimas generaciones: desde mi bisabuela Crecencia, que nació en un barracón de esclavos, hasta mis hermanos y yo.

Leí aquello en el congreso, muy expectante de lo que iba a pasar, y para mi sorpresa, cuando terminé de leer, todos los que estaban en la sala se levantaron y empezaron a aplaudir; después me di cuenta que muchas de aquellas personas tenían experiencias de vida similares a la mía, porque esa es la Revolución, fue ella la que nos permitió salir de "allá abajo" y llegar a donde estábamos y por eso muchos de los allí presentes se emocionaron. A mí esa reacción me..., bueno me halagó, claro, porque todos tenemos un pedacito de corazoncito vanidoso, pero también me dejó pensando "si esto es tan común, cotidiano y normal en nuestro país, ¿por qué algunos se emocionaron tanto?", me preocupó eso y quedó como una semillita ahí germinando.

No puedo decir que en aquel momento me decidí a escribir el libro, pero ya a finales de los 2000 empezó a aparecer en Cuba en el sector académico, más literatura que aludía, no solo a temas asociados a la cuestión racial, sino también a la desigualdad social, a las manifestaciones de homofobia y xenofobia, y entonces me sorprendí más de una vez acordándome de aquel momento y me decía "si yo pudiera escribir sobre eso", pero no me decidía y opté al menos por ir leyendo lo que otros publicaban.

Eso debe haber sido alrededor del 2007; empecé a leer y cada vez me fui interesando más y la bibliografía de un libro citaba a otro y fue como una especie de descubrimientos sucesivos que me fueron metiendo en el tema hasta que un día me dije "me voy a sentar a escribir", y empecé; cuando tenía 30 o 40 cuartillas empecé a dudar de lo que estaba escribiendo porque ¿qué práctica científica tenía yo para afirmar estas cosas?, y decidí salir a la calle a entrevistar y conversar con personas; lo que escribía y lo que averiguaba lo empecé a reunir en un mismo texto.

Pero fíjate, cuando te digo que el libro fue creciendo dentro de mí desde que nací, es porque creo que cada cubano pudiera escribir un libro sobre eso si tuviera la capacidad técnica, la paciencia y la voluntad de hacerlo, porque es muy difícil que tú no encuentres en alguna familia una incomprensión que se genera en la intolerancia al otro que es diferente; es muy usual que haya al interior de la familia conflictos que se generen por eso: la negra o el negro que no quiero, el homosexual que no quiero, el "palestino" que no quiero; a veces no tiene que ver con una condición sino con una apariencia, con el peinado o el largo del pelo, con un tatuaje o una manera de vestir, de hablar, pueden ser hasta los gustos musicales, hay muchas razones por las cuales las personas manifiestan intolerancia con respecto a los gustos o prácticas sociales de otras.

Creo que los seres humanos en general no hemos desarrollado suficientes herramientas para la convivencia armoniosa y respetuosa con los demás y no creo que sea un fenómeno exclusivamente cubano, creo que parte de la condición del ser humano que es extraordinariamente social en las maneras de desarrollarse con los que son iguales a sí mismo, pero a su vez tiene siempre algunas actitudes, comportamientos y maneras de ver las cosas que afectan la convivencia, me da la impresión de que eso es parte de la condición humana y que la tarea de cualquier sociedad, sobre todo de una como la nuestra, es educar a las personas para que esa convivencia sea cada vez más armoniosa pero también más espontánea, sin excesos de condicionamientos sociales que obliguen a aceptar las diferencias, que sea la naturaleza de las personas la que entienda que lo realmente natural es lo diferente y a veces es lo que más trabajo nos cuesta aceptar, porque queremos que todo sea a partir de una formulita.

¿Cuáles son en su opinión las grandes paradojas de la racialidad?

Entre las grandes paradojas de la racialidad, no pretendo mencionarlas todas. La primera que hay que citar es la interacción entre lo subjetivo y lo objetivo que en este caso es muy contradictoria porque la clasificación racial es totalmente subjetiva, la especie humana es una sola, las diferencias no son biológicas, son genéticas y las que tienen que ver con el color de la piel tienen una proporción ínfima en cuanto a la constitución genética de los seres humanos, no llega ni siquiera al 0,5 %, además de que el color de la piel, los atributos del pelo, las formas de las facciones —sobre todo las del rostro—, son un resultado totalmente accidental y dependiente de las inimaginables combinaciones que pueden hacer los genes de dos personas.

Sin embargo las consecuencias en las sociedades racializadas de tener uno u otro color, e incluso dentro de la misma clasificación cromática, las diferentes gradaciones del color son totalmente objetivas. Creo que hay muy pocas nociones como la del color de piel o raza que demuestran la extraordinaria objetividad de lo subjetivo, porque la clasificación es subjetiva, pero las consecuencias no; para mí esa es una gran paradoja.

Otra contradicción tiene que ver con los criterios de clasificación que son muy voluntaristas; mientras que en Estados Unidos el que tenga una gota de sangre negra ya no es blanco, en Cuba cualquiera que no sea suficientemente mestizo, es blanco, y esa es otra paradoja, ¿quién determina quién es o no blanco?, bueno, la clasificación que hace la sociedad, que es totalmente anárquica y subjetiva: ¿qué hacemos con un blanco que sea ñato?, o ¿qué con un negro que no sea bembón?, ¿qué va a predominar, la forma de la nariz y la boca o el color de la piel?, y ahí es donde te das cuenta de que todo es un rejuego en el cual la propia sociedad ha entrenado a las personas para posicionarse socialmente en función de atributos presuntamente raciales, todo es una maniobra y al final esa clasificación racial depende de las posibilidades que las personas tengan.

Hay un libro muy interesante que está por salir de dos investigadoras cubanas María de los Ángeles Meriño Fuentes y Aisnara Perera Díaz, que es extraordinariamente aleccionador porque ellas, en su investigación, se dieron cuenta de que en el pasado las mujeres no blancas en Cuba podían ascender racialmente en función del matrimonio, o sea, que una mulata soltera que se casara con un blanco, inmediatamente era reclasificada como blanca, e igualmente ocurría con una negra soltera, si un blanco decidía admitirla y exhibirla socialmente como esposa, se convertía en mulata solo por ser la esposa de un blanco, e interesantísimo: cuando la unión desaparecía, estas mujeres volvían a la clasificación anterior. Uno se da cuenta de que las clasificaciones raciales, no solo en Cuba sino en América Latina, son muy, muy, muy caprichosas.

Hay una investigadora de origen francés llamada Elizabeth Cunin, que ha estudiado mucho las sociedades latinoamericanas, que le dice a eso "competencia mestiza", que es la capacidad de jugar con el color y posicionarse en función de este, a lo que las investigadoras cubanas que te mencioné anteriormente le llaman "el uso social del color".

Y la tercera y más complicada paradoja que yo veo, es que no puedes ver el tema racial aislado del resto de las cualidades o atributos en función de los cuales las personas pueden ser minimizadas, que es algo que yo a los compañeros les digo con mucha frecuencia; no se puede identificar, ni clasificar a los discriminadores ni a los discriminados en Cuba porque muchas veces la mismas personas juegan ambos roles según la cualidad que se esté juzgando; si se juzga el origen, no es lo mismo un habanero que un guantanamero; si es el género, no se tiene la misma percepción social de un hombre que de una mujer; si se está evaluando la orientación sexual, no son iguales un heterosexual, un homosexual y un bisexual.

En función de todas esas maneras de pretender clasificar e inferiorizar a las personas cuando tienen atributos que se salen del canon o de lo "socialmente aceptado" entonces tú puedes ser discriminador o discriminado, y muchas personas lamentablemente jugamos ambos roles.

¿Quisiera comentar acerca del fundamento documental de Elogio de la altea o las paradojas de la racialidad*?*

Consiste en que a mí me preocuparon mucho los complejos de culpa de la sociedad cubana en relación a la no erradicación de las manifestaciones de prejuicios y discriminación racial, y eso es más perceptible en la actuación de personas individuales. Este es un problema que además de tener 500 años, posee una base fundamentalmente cultural.

Entonces traté de ver cómo se reflejan hoy en el siglo XXI las tensiones y contradicciones de naturaleza racial en países que tienen historias parecidas a la nuestra, que fueron colonias de las metrópolis europeas, que importaron africanos y los esclavizaron para el desarrollo de una actividad económica que iba a conectarse con el comercio internacional del capitalismo, que por entonces emergía como un sistema social más promisorio que la etapa feudal que se dejaba atrás.

Descubrí algo muy interesante y es que casi todos los países que fuimos colonizados por España y Portugal, sobre todo, tenemos historias económicas, sociales y culturales muy parecidas; los africanos vinieron a las diferentes naciones a hacer las mismas actividades económicas, por tanto, tuvieron formas parecidas de rebelarse contra su condición esclava y de contribuir desde la cultura, a la formación de la nueva nacionalidad.

Esto es tan demostrable como que incluso hoy algunos de los proverbios que se usan para inferiorizar a los que no son blancos son muy parecidos; en Cuba se dice "si ves un negro con dinero, es músico o deportista"; en Brasil se dice "si ves un negro conduciendo una auto importado, es futbolista o narcotraficante" y en Panamá dicen "blanco que corre, es atleta; negro que corre, es ladrón"; cuando comparas estos proverbios te das cuenta de que la percepción del negro, su papel en la sociedad y del origen de su probable bienestar material es el mismo, son cualidades que no están asociadas al desarrollo del pensamiento ni al cultivo del intelecto, porque tenemos una misma herencia cultural; entonces me dije que el problema de Cuba no es tan simple como a veces lo planteamos, que es que los blancos discriminan a los negros.

A partir de ahí seguí buscando cómo se comporta el fenómeno en Colombia, Perú, Guatemala, Venezuela, hay muchos países a los que nos parecemos mucho como Brasil que aunque fuimos colonia de diferentes metrópolis, sí tuvimos actividades económicas y manifestaciones culturales y religiosas parecidas, pero hay otros casos como Venezuela y Perú, donde los negros se mezclaron lo mismo con los blancos europeos que con los indígenas americanos, o como en Argentina y Uruguay donde los indígenas y los negros fueron exterminados y donde hoy solo perviven en comunidades con determinadas características culturales y no aparecen en el censo, porque este no toma en cuenta el color de la piel, por tanto los negros no existen, no están.

A mí me interesaba mucho la comparación, no para construir una justificación de por qué la sociedad cubana, pese a una Revolución que lleva 53 años en el poder, no ha resuelto el problema, sino para entender por qué es tan difícil resolverlo, y las claves pare entenderlo me las dio la cultura.

¿Qué elementos son los que señaló el jurado como experiencias propias?

El tema está en que entre los muchos mitos culturales que se construyeron en el siglo XIX, en Cuba y en otros países de América y se consolidaron en el XX, está aquel de que los negros y mulatos iban a lograr redimirse y liberarse por medio de la educación, y que los negros y los mulatos lo que tenían que hacer era estudiar mucho, superarse, y eso les iba a permitir equilibrarse social, económica y culturalmente a la población blanca.

Por eso es que existieron el Club Atenas, las Sociedades de negros y mestizos, con aquella extraordinaria vocación de superación que tenían, las escuelas, y por eso existieron a lo largo sobre todo de la República tantos esfuerzos de los estratos sociales más retrasados y más oscuros por llegar al nivel que tenían los estratos blancos.

A mí siempre me preocupó por qué yo percibía en algunos amigos y familiares egresados de la universidad, con importantes títulos científicos y académicos, que ellos seguían sintiéndose objeto de discriminación, porque se supone que si habían logrado todos esos lauros el problema desaparecería, sin embargo yo notaba eso, nunca en una conversación a fondo, pero sí en comentarios, frases, anécdotas, y entonces decidí que antes de escribir el texto iba a tratar de conocer por personas de ese tipo, sus propias experiencias.

Para esto, con casi treinta personas, todos negros y mestizos, graduados universitarios, todos más o menos reconocidos como exitosos en su entorno familiar y en su microentorno social, conversamos largamente para ver cómo les había ido.

Después tuve que escoger grupos de personas con características semejantes para tratar de identificar comunidad de opiniones con relación a ciertos temas; hice tres o cuatro entrevistas grupales en centros de trabajo; tuve una conversación interesantísima con un grupo de estudiantes de la secundaria que está al lado de mi casa, también con un grupo de graduados de derecho, y así fui buscando grupitos de personas y les planteé temas polémicos para que se manifestaran y con todo esto obtuve mucha información.

Finalmente, como en una etapa de mi vida fui investigadora, especialista en estudios sociales, diseñé una encuesta y se la apliqué a alrededor de ciento veinte personas, a todos los que había entrevistado individualmente, a una parte de los que entrevisté grupalmente y a otra muestra que escogí de forma aleatoria; a pesar de que conozco cómo se hace, no me propuse diseñar una muestra estadística con ningún nivel de confiabilidad, lo único que requería saber era qué opinaba la gente sobre determinados asuntos, por eso tales datos los uso en el libro con mucha discreción y cautela porque sé que desde el punto de vista de la metodología, la muestra que yo escogí es totalmente intencional y por tanto a la hora de sacar conclusiones y generalizarlas eso no va a tener la misma capacidad de persuasión que si fuera una muestra estadísticamente seleccionada.

Yo fui haciendo las dos cosas paralelamente, cuando podía hacía trabajo de terreno y cuando tenía psicológica, material y temporalmente, creadas las condiciones, escribía y ya al final busqué en qué medida casaba lo que encontré en el terreno con lo que iba escribiendo y se dio el caso de resultados que pudieron perfectamente sustentar determinada hipótesis y también cosas que reescribí porque me di cuenta que la práctica no estaba confirmando lo que había escrito antes y así fui armando el libro.

En el foro promovido por el Portal Cubarte, se encuentra una entrevista que Heriberto Feraudy hiciera a la doctora Graziella Pogolotti a propósito del tema que abordamos, en la que entre otras ideas esta plantea: "Se trata, claro está, de un tema delicado por cuanto intervienen en él, no solo elementos del pensamiento lógico, sino zonas más oscuras que impregnan el inconsciente. Esas consideraciones han influido en el abordaje cauteloso de un asunto que puede fragmentar la sociedad cubana. Pienso, por lo contrario, que el silencio contribuye a ahondar fisuras". ¿Cuál es su opinión en este sentido?

Hace unos días en una entrevista que salió en *La Jiribilla*, yo argumentaba que el silencio social es un mecanismo defensivo que todas las sociedades utilizan, no existe prácticamente ninguna sociedad en la historia de la especie humana que no tenga temas tabúes, cosas de las que la gente solo habla en el ámbito privado, porque la sociedad siempre tiene una diferencia entre los valores que proclama y los que se materializan en su práctica cotidiana; no es un diseño hipócrita de la sociedad, porque es un cuerpo vivo, siempre un desfase generalmente porque la sociedad se atrasa con respecto a los valores que proclama y cuando ese desfase afecta el funcionamiento de la sociedad o de las actividades políticas, educacionales, el desarrollo de las artes y las ciencias siempre hay estrategias de silenciamiento del problema.

Históricamente las artes han sido mucho menos conservadoras, pero las ciencias sociales en varios momentos de la historia humana, rezagadas de la práctica, se han dedicado a argumentar soluciones de la sociedad que la práctica está diciendo que ya no funcionan; eso ha ocurrido desde las ciudades-estado griegas hasta nuestro días; la quiebra del silencio es como la fiebre; una sociedad está tapando determinado asunto, tal parece que a nadie le preocupa, todo el mundo muy tranquilo y de buenas a primeras se arma un debate social y tú dices ¿qué pasó?, pues que se rompió el equilibrio y la gente empezó a expresarse, como si tuvieras una cantidad de microorganismos superior a la que tu sistema inmunológico permite y entonces cuando se quiebra el silencio es como la fiebre en el cuerpo y hay que averiguar las causas de la fiebre y de que a estas alturas la gente esté hablando de eso y pasa lo mismo con asuntos culturales, sociales, o políticos.

Fue apreciable, por ejemplo, en Chile, que parecía una sociedad conforme con todo el trauma que había sufrido hasta que fue posible acorralar a Pinochet y entonces toda la oposición que ese régimen generó salió a relucir, ahí estaba la rebeldía de la sociedad chilena; aparentemente en Bolivia lo que pasó con el Che y sus compañeros era un secreto muy bien guardado, pero cuando aparecieron los restos de ellos nos dimos cuenta que mucha gente allí sabía lo que había, pero no podía hablar de eso.

No logro todavía explicarme cuáles son los misteriosos y secretos mecanismos que desatan esas respuestas, pero lo que sí es verdad es que la sociedad cada vez que encuentra una disonancia entre los valores que proclama, los que defiende y lo que ocurre en la práctica social busca mecanismos de defensa y uno de esos mecanismos de defensa es el silencio.

Una de las cosas que más me preocupó fue que algún lector predispuesto pensara que yo estoy tratando de justificar algo, y el libro lo hice para intentar explicarme lo que pasa con lo que no estoy de acuerdo, pero lo primero que tengo que hacer es entender por qué pasa, porque sino va a ser muy difícil que yo logre contribuir a que esa situación se transforme y yo creo que a veces en Cuba nos apresuramos mucho en juzgar las situaciones, en clasificar los hechos y los procesos sin primero explicarnos por qué pasan; es muy importante saber por qué ocurren las cosas, sobre todo cuando hay una respuesta que es colectiva, de la que participan personas diferentes, con historias de vida diferentes también y reaccionan igual, eso hay que intentar explicárselo antes de quererlo transformar para evitar que las medidas que se tomen no sean adecuadas, y volvemos al ejemplo del enfermo, si no hay diagnóstico clínico no hay tratamiento médico, en la sociedad es igual, y yo estaba tratando de contribuir —no sé si lo habré logrado—, al diagnóstico.

Segunda parte

¿Considera que una de las causas de que se mantenga en Cuba la desventaja de los hombres de piel negra en cuanto a oportunidades educacionales, profesionales y económicas, es lo subrepresentados que han estado estos en las diferentes instancias del poder?

Los seres humanos que vivimos en sociedad, aunque no nos lo propongamos, competimos por los espacios, por los beneficios de las políticas y por los servicios de la sociedad desde que nacemos; desde una sociedad extraordinariamente desigual, hasta una extraordinariamente solidaria como la nuestra; las personas para insertarse y desarrollarse socialmente siempre están compitiendo, en primer lugar consigo mismas y, en segundo lugar con los demás, por lo tanto, las ventajas y las desventajas empiezan a tener influencia en la vida de las personas desde que nacen.

No es lo mismo nacer en una casa donde no hay libros, a nacer en una donde los padres leen; no es igual nacer en una casa donde no hay fluido eléctrico al hogar donde el niño tiene la posibilidad de ver los muñequitos, video y oír música; el niño que los padres le leen, le enseñan a usar el diccionario, lo estimulan a ir a la biblioteca, lo llevan al museo y al Guiñol, cuando llega al preescolar ya tiene ventaja sobre el que no tuvo esa oportunidad, va a aprender más rápido y no es que sea más inteligente, es que ya tiene una acumulación cultural acorde con su edad y el otro no, porque vive en una ciudadela, con padres alcohólicos, solo ve escenas de violencia, ese no aprende a la misma velocidad y no es porque sea menos inteligente, y ahí empiezan los dos niños, sin saberlo, a competir.

Yo tuve una compañera en la universidad que debe haber sido el décimo o el onceno lugar en el escalafón cuando nos graduamos, pero para nosotros fue como el primero porque ella vivía en una casa de un cuarto con varias personas de diferentes generaciones y donde único podía estudiar, con relativa paz, era sentada en la taza del inodoro; no es lo mismo sacar un cinco teniendo un cuarto para ti solo donde estudiar que estudiar sentada en la taza del baño.

Las políticas sociales: no tener que pagar las matrículas —como ocurre en nuestro país—, no someterse a procesos excluyentes de selección para entrar a uno u otro lugar, reducen las desventajas, pero no las eliminan; cuando tú llegas a un aula universitaria y ves que la composición del alumnado no se corresponde con la composición social de la población, piensa en todas las ventajas y desventajas que esos jóvenes han acumulado desde que nacieron y te explicarás por qué hay carreras universitarias y espacios sociales donde apenas hay alumnos negros.

De ahí es que cuando las personas terminan sus estudios y entran en el mercado laboral, al margen de los procedimientos poco éticos de favoritismo o "sociolismo" que puede haber, cargan con sus ventajas y sus desventajas y por eso a algunos les cuesta más trabajo entrar a determinado lugar que a otro, porque el mercado del trabajo es selectivo y competitivo.

Hay personas que para adquirir determinado nivel cultural o posicionamiento social tienen que hacer un esfuerzo superior a los demás porque tienen que luchar contra sus propias desventajas y tratarlas de compensar; no justifico que haya lugares donde los negros están subrepresentados, pero me lo explico en función de esos mecanismos incontrolables de competición que la propia vida social establece y de que las políticas cubanas, extraordinariamente solidarias, no han logrado compensar las diferencias en los puntos de partida de las personas; una revolución radical como la nuestra desarrolla políticas universalistas que, ofrecen amplias oportunidades a todos por igual pero que no tienen en cuenta que los puntos de partida y las condiciones para el avance son desiguales, y la consecuencia entonces es que las personas no alcanzan las metas y no se posicionan socialmente solo porque le ofrezcan la oportunidad.

Y si a eso se suman posibles manifestaciones de racismo de los que deciden quién accede o no a un puesto laboral, por ejemplo.

Sí, claro, pero yo pensaba antes que las manifestaciones que con tanta frecuencia nosotros citamos de este tema eran una especie de atributo cubano y no, son más o menos las mismas manifestaciones en los países de los que ya hablamos.

Hace pocos años un escritor panameño, Alberto S. Barrow, provocó un tremendo debate social sobre estos temas con el libro *No me pidas una foto: develando el racismo en Panamá*, en el que hace una reflexión de las consecuencias que tiene en los procesos de reclutamiento laboral tener que anexar una foto al currículum, algo aparentemente neutro, pero cuando encima de una mesa hay diez currículum con fotos, estas sí influyen, y mientras el color de la piel y el grado de fineza de las facciones tenga importancia, la foto será tan determinante como el currículum, por eso la lucha de la sociedad debe ser porque el color de la piel y las formas de las facciones pierdan significación, porque la sociedad se desracialice.

A partir de la fractura irremediable del sistema socialista mundial y sus derivaciones para nuestro país, comenzaron a percibirse en la cotidianidad asuntos que aparentemente se habían superado como la segregación racial, ¿cómo cree usted que pueda accionarse efectivamente en aras de erradicar esta, si en los tiempos que corren hay un grupo de circunstancias socioeconómicas que lejos de aliviar, acentúan las diferencias sociales en Cuba?

Están muy bien estudiadas las consecuencias que en el orden ético, tuvo el derrumbe del socialismo en Cuba, de los comportamientos que reemergieron, de algunas filosofías de vida que se entronizaron, de los valores que empezaron a resquebrajarse, pero a veces no se conecta ese proceso que sufrimos nosotros, con lo que estaba ocurriendo en el resto del mundo;

mientras el sistema se caía por su propio peso, porque era un edificio mal construido y nosotros sufríamos las consecuencias, en el resto del mundo se estaba imponiendo, a partir del gobierno de Reagan y del buen acompañamiento que le hizo el gobierno de Margaret Thatcher en el Reino Unido, un mismo sistema de códigos y símbolos para una parte importante de la humanidad, hablo desde el concepto de democracia, hasta las modas.

Fue en los ochenta cuando se hizo más acelerado el proceso de estandarización de los valores, códigos y símbolos del capitalismo como lo válido, como lo bueno y como lo máximo, y en el capitalismo, los negros jamás son modelos, son consumidores preocupados por integrarse a los modelos predominantes y siempre fue así.

Yo para otra investigación que estaba haciendo el año pasado, leí muchas revistas de antes del triunfo de la Revolución, *Bohemia*, *Carteles*, *Vanidades*, y salvo excepciones, todos los modelos negros que aparecían estaban vestidos con overol o con delantal, cuando usas la publicidad para esto ya tú estás diciendo cuál es el lugar que tiene ese tipo de persona en la sociedad y aquí comemos aún mayonesa Doña Delicias, que es cocinera, no es dueña de ningún restaurante, y ese era el horizonte para gente como ella, en un mundo donde se está diciendo que el pelo lindo es el lacio, los ojos bellos, los claros, que tener los glúteos demasiado desarrollados no es elegante, pero los senos sí, entonces la gente empieza a quitarse de un lugar para ponerse en otro y es que estamos reafirmando el modelo de allá, nosotros pasamos por un Período Especial y a la vez al mundo le estaba ocurriendo este tipo de proceso, y Cuba es una isla pero conectada con el resto del universo, por tanto tiene cierta lógica que aquí hayan reemergido conductas y actitudes bastante racistas, incluso a veces, sin que la gente se dé cuenta de lo que está haciendo.

Uno de los peligros que tiene esta lucha es que nosotros pensamos que el que discrimina es el enemigo y el que discrimina es una persona que ha tenido en su proceso de desarrollo como ser humano, factores y condiciones que lo han persuadido de la inferioridad de otras personas en virtud de determinados asuntos.

Nosotros hemos firmado todas las resoluciones de la ONU a favor de que el pueblo palestino tenga su tierra y de que su cultura sea preservada y sin embargo todos los cubanos, de todos los credos, filiaciones políticas y niveles culturales, hemos usado la palabra "palestino" para referirnos así despectivamente a personas que no son de La Habana.

¿Cómo se entiende esto? ¡Ah!, porque el racismo como sistema de ideas, es transversal, es capaz de producir una fractura entre los argumentos de tipo teórico y los elementos de carácter simbólico, o sea yo puedo tener un discurso revolucionario, de izquierda, de compromisos y sin embargo, tener instaladas en mi cerebro representaciones sociales que son racializadas; es como si las personas tuvieran la capacidad de desconectar su universo teórico-cognoscitivo del mundo simbólico que tienen instalado en su mente, y ese fenómeno de desconexión lo ha provocado el capitalismo a lo largo de toda su historia.

Una de las más exitosas operaciones de márquetin que el capitalismo ha hecho es inferiorizar a todos los que no caben en el modelo blanco, anglosajón y centrista, ya sea Europa o Norteamérica, todo lo que no esté ahí es inferior, pero esa operación comenzó cuando salieron las carabelas de Colón y todavía estamos en eso.

En el proceso del libro yo insistí mucho en este asunto porque también hubo una época en Cuba en que tener determinada apariencia quería decir algo; la mayor parte de los muchachos y muchachas no blancos que en los sesenta y setenta se dejaron crecer el pelo y se hicieron un *spendrum*, tenía una pretensión de afirmación racial, eso ya no es así, conozco personas orgullosas de su condición racial, pero el pelo encrespado de los negros no les gusta, se lo desrizan y se lo planchan, también puede ser una manifestación fundamentalista empezar a juzgar a las personas por su apariencia, pero es algo que ha calado tan profundamente, que nosotros ni siquiera nos damos cuenta.

Te pongo un último ejemplo: En *Habanastation*, éxito de crítica y de público, hay una escena en la que el muchacho del barrio marginal le dice al otro: "tu papá es un mulato arrepentido casado con una rubia, tu papá es salsero" y el otro le contesta que no, que es jazzista, pero el primero insiste y le dice "todos los salseros se casan con rubias", bueno, es que realmente esta sociedad le reconoce a los no blancos como atributo de éxito que se casen con una persona de color más claro, hoy, porque esta sociedad tiene muy incorporado culturalmente el ideal de blanqueamiento, "hay que adelantar", esto en realidad se declaró por primera vez en la novela *Cecilia Valdés*, pero creo que está presente desde mucho antes, porque desde que nos empezamos a formar como nación nos dijeron que mientras más oscuros, peor; yo no estoy justificando las actitudes endorracistas de los negros y mulatos que son racistas con sus iguales, estoy tratando de explicarlo y me doy cuenta que es algo que está entronizado en nuestra cultura.

¿El libro solo funciona para el tema racial?

Yo creo que aunque el libro se centra en el tema racial puede funcionar siempre para una relación de poder que se basa en un atributo accidental y que no tiene ningún valor ni intelectual ni axiológico: el habanero que se cree superior al oriental; el hombre que se cree superior a la mujer; el blanco que se cree superior al negro; el heterosexual que se cree superior —moral o psicológicamente— al homosexual y al bisexual, se da uno cuenta de que son relaciones en las que una persona quiere ejercer poder sobre otra porque cree que por sus atributos es superior, funciona en muchos ámbitos de la vida cotidiana, realmente.

Ciertamente y antes de la declaración de la Unesco, se ha venido desarrollando en Cuba un debate acerca de los temas asociados a la racialidad en determinados círculos intelectuales, ¿cómo podría en su criterio trasladarse ese debate a los escenarios donde se hace efectivo el racismo en Cuba?

En este sentido considero que debería haber una combinación de políticas; políticas económicas —que es lo que estamos haciendo ahora, con la subvención a las personas y no a los productos y servicios— dirigidas a apoyar a los socialmente más rezagados y vulnerados; creo que debe haber políticas culturales que insistan más en estos temas, que desintoxiquen la conciencia de las personas desde que son niños, porque todo esto empieza en la niñez, comienza a adquirir peso en la adolescencia y se consolida en la etapa adulta de las personas.

Creo que a las personas adultas cuesta mucho trabajo reeducarlas, yo no creo que un racista adulto pueda ser reeducado porque las reacciones son de naturaleza instintiva, pero es perfectamente posible que la sociedad le genere un sentimiento de culpa tan grande que esa persona esté constantemente vigilando su comportamiento, una sociedad puede lograr en sus miembros adultos eso y tratar con los más jóvenes de tener políticas divulgativas, educativas y estrategias culturales que vayan en contra de las discriminaciones de todo tipo.

Cuando un niño de once años rechaza el cepillo de dientes que le compró su mamá porque es rosado y dice que es para niñas —y eso me pasó con mi hijo— si la madre no dedica tiempo a reflexionar con su hijo sobre eso, está educando a un hombre machista y posiblemente homofóbico, los padres tienen que dedicar tiempo a discutir con los hijos hasta el color de los cepillos de dientes, estar alerta y así poder incidir sobre los muchachos.

¿Y las leyes?

Pienso que tiene que haber por supuesto, un entorno legal que ejerza un carácter preventivo pero también coercitivo, sobre las manifestaciones de discriminación, que le demuestre a las personas que tienen derechos, que tienen apoyo y que les indique a dónde tienen que ir a plantear su desacuerdo con un planteamiento, una ofensa, una humillación, una agresión a sus derechos como ser humano.

Si nosotros pretendemos llevar esto hasta sus últimas consecuencias, deberíamos sin prisa y sin proponérnoslo como meta, darnos cuenta de que el entorno legal es muy importante, no es decisivo, porque, por ejemplo, Brasil tiene un estatuto de igualdad racial y una ley firmada por su presidente en 2010 que criminaliza y penaliza toda manifestación de discriminación racial, y sin embargo la mayoría de la gente que denuncia no logra que su denuncia prospere porque los propios abogados le piden a los denunciantes acudir al código penal general porque existen todas las resistencias de carácter subjetivo de la sociedad.

Lo que hay que cambiar es la conciencia de las personas, la percepción de la sociedad sobre qué significado tiene ser oscuro, faltarte una pierna, un ojo, ser homosexual, porque uno puede ser discriminado por muchas cosas. Esto no se puede resolver con la ley, sí con la educación, las campañas de bien público y la cultura, y usar las leyes como sello y complemento del sistema que la sociedad construya para luchar contra la discriminación.

Hay países que han tenido un desarrollo muy grande en el caso de la lucha contra el racismo, de las sociedades de afrodescendientes que sobre todo han jugado en primer lugar un papel aglutinador, han constituido un elemento de presión sobre los gobiernos y han construido un sistema de vínculos políticos con los gobiernos, sobre todo locales, para obtener determinadas demandas de carácter comunitario.

Yo pienso que la sociedad civil tiene derecho a organizarse para luchar contra la discriminación, creo incluso que cualquier país necesita que la acción correctora del Estado sea complementada con la acción de los ciudadanos, pero estoy en contra de todo tipo de sectarismo, no me imagino algo parecido al Directorio Central de Sociedades de Color que organizó Juan Gualberto Gómez, ni me imagino una Sociedad para el avance de los ciudadanos de color como la que formaron los estadounidenses a principios del xx, porque ¿qué hacemos entonces con las familias —que cada vez son más— que tienen integrantes de todos los colores?, ¿vamos a hacer una organización para que puedan estar los padres y no los hijos?, yo no concibo sistemas de defensa que partan de potenciar o poner en primer lugar a las diferencias, porque lo primero que haríamos con eso es fraccionar a la familia; en mi familia hay gente de todos los colores y no me imagino una organización en que pueda estar mi hermana y no sus hijos.

La sociedad civil tiene que buscar formas de luchar a partir de dotar de contenidos relacionados con esos temas a su funcionamiento orgánico, porque lo que va a hacer que esta lucha se generalice y todo el mundo participe no es que creemos organizaciones nuevas, es que las que existen incorporen contenidos que hoy son conflictuales en la sociedad y que algunas de nuestras instituciones sociales ignoran y es como si no ocurriera.

Los enemigos de siempre lo que quieren es crear nuevas organizaciones para generar más divisiones de la sociedad civil y para acabar de enterrar el proyecto; no me parece que sean necesarias más organizaciones de la sociedad civil, pero sí creo que todas, incluidas las profesionales, las no gubernamentales, deberían tener una mirada más detenida hacia este tipo de procesos que están teniendo lugar en la sociedad y pudieran desde su perfil y características de su membresía ver cómo pueden ayudar a esa lucha, desde ese punto de vista creo que sí tiene bastante que hacer.

El libro es resultado de...

Es el resultado de mucha gente; al finalizar la premiación me saludaron algunos importantes intelectuales y escritores cubanos, a los que yo respeto mucho y a varios les dije “cuando se lea el libro verá que lo he leído mucho"; sin haber leído muy bien mucha historia de Cuba, historia local, los serios estudios culturales de nuestros procesos de formación de la nacionalidad, sin haber revisitado algunas películas que hicieron época, como *Cecilia Valdés* y algunas obras de la literatura que también hicieron época, no hubiera podido comprender que lo que está ocurriendo es el resultado de un proceso histórico.

Alguien me preguntó cómo yo clasificaría el libro, si de historia, de psicología social, de sociología o de testimonio con apoyatura científica, y es todo eso, yo no me propuse hacer un texto de una u otra especialidad si no escribir lo que pensaba e incorporarle lo que pensaba mucha gente que dedicó tiempo a hablar conmigo de este asunto a pesar de lo incómodo que todavía resulta en nuestro país hablar de esto, porque yo creo que la conversación sobre estos temas no se ha naturalizado, hay espacios en que sí, pero en otros se percibe una tensión ambiental cuando el tema sale a relucir; yo traté de respetar lo que las personas me dijeron y de relacionar coherentemente esos testimonios; si el libro puede servir para que nosotros nos liberemos de esos innecesarios sentimientos de culpa, será válido. Cuba no tiene por qué sentirse avergonzada de nada. Cuba tiene sí, que sentirse muy comprometida a terminar lo que empezó, esta Revolución tiene que sentirse comprometida a terminar lo que empezó, no avergonzada de lo que no ha logrado, porque la historia de este país no se terminó.

Yo escribí el libro pensando en ayudar a que tengamos este tipo de perspectiva del asunto, a que no nos sintamos derrotados, ni avergonzados, ni enjuiciados porque en este mundo nadie ha hecho más por los negros y mestizos que esta Revolución y si no yo no estuviera sentada aquí hablando contigo, dirigiendo una institución como esta, en la mayor parte de los países del mundo no se atreverían a nombrar a una persona como yo en un lugar así. He ido a muchas ferias del libro y a reuniones del grupo iberoamericano de editores, y en la mayoría no he encontrado personas como yo y este país está lleno de personas como yo en responsabilidades institucionales o administrativas que en otros lugares ni por la mente más febril y más soñadora pasa escoger una persona así, y otros muchos con categorías y grados científicos, personalidades eminentes por sus aportes al conocimiento en cualquier manifestación del arte o de la ciencia.

Si ya hemos logrado eso, si ya llegamos hasta aquí lo que queda es trabajar y poner a la sociedad a trabajar porque la tarea que tenemos, en mi opinión, no se debería hacer solo desde el Estado, aquí todo el mundo tiene que luchar para que las personas sean respetadas en tanto seres humanos, y para que las personas no sean mancilladas a partir ni de ningún atributo accidental, ni de ninguna decisión personal que los demás, aunque no la compartamos, estamos obligados a respetar, si el libro puede ayudar a eso yo me sentiría bastante contenta.

El antirracismo de Fernando Ortiz*

*Jesús Guanche Pérez***

Primera parte

Profesor, a partir de una conferencia que usted impartiera en la Universidad de La Habana en días recientes, sobre el antirracismo de Fernando Ortiz, nuestro Tercer Descubridor, quisiera compartir con los amigos de Cubadebate y de esta sección en específico, pues de seguro abrirá un profundo y fructífero diálogo, que sin duda debe contribuir en alguna medida al realce de este importante tema.

Sí, una parte representativa de la voluminosa obra de Fernando Ortiz estuvo dedicada a demostrar el fundamento anticientífico de las "razas" aplicado a los seres humanos y a combatir las diversas formas en que se manifestaban los racismos en el contexto nacional e internacional que le correspondió vivir.

Aunque Ortiz fue un connotado divulgador de las ideas antirracistas mediante artículos, conferencias, discursos, libros y en la radio, seleccioné como unidad de análisis diez textos

* Entrevista realizada por la antropóloga Rosa María de Lahaye Guerra en octubre de 2011 y publicada en el Foro interactivo El engaño de las razas.

** Destacado académico, doctor en Ciencias Históricas, profesor Titular, investigador Titular, licenciado en Historia del Arte, miembro de la Junta Directiva y del Consejo Científico de la Fundación Fernando Ortiz. Coordinador de la sección de Ciencias Sociales y Humanísticas de la Academia de Ciencias de Cuba en la especialidad de Antropología.

que durante más de cinco décadas (1910-1955) ofrecen una muestra altamente representativa de sus concepciones y de su abierta fe en el desarrollo de las ciencias como vía para fortalecer convicciones.

Durante más de medio siglo Fernando Ortiz ejerció una amplia campaña de investigación, propaganda y acción a favor de la causa antirracista, cual un enérgico apostolado en pro de la ciencia y contra el terrible mito de las “razas”. Trató de persuadir para convencer, de enseñar para abrir el entendimiento sobre la unidad de la especie humana, independientemente de las múltiples variaciones físicas y culturales como resultado de la amplia capacidad adaptativa y transformadora del ecosistema.

Aunque no vamos a pasar por todos los detalles de su conferencia, sí me gustaría preguntarle, ¿hay una noción biológica de las razas?

Debido a que la noción biológica de “raza” aún pervive en ciertos sectores profesionales y en determinados grupos sociales que todavía confunden lo heredado por la natura respecto de lo creado y transmitido por la cultura, su obra adquiere plena actualidad, pues muchas de las ideas y discusiones presentadas por Ortiz se manifiestan tanto en el sustrato social como en el debate ideológico, en su más amplia acepción.

Recordemos, a modo de ejemplo, que en 1985 se efectuó una pregunta a mil doscientos científicos para conocer cuántos estaban en desacuerdo con la siguiente proposición: “Hay razas biológicas en la especie *Homo sapiens*”. Las respuestas fueron: biólogos 16 %, psicólogos evolutivos 36 %, antropólogos físicos 41 %, antropólogos culturales 53 %, lo cual nos da la medida que, no obstante los más recientes avances de las ciencias, los prejuicios y juicios errados aún perduran, con independencia de los esfuerzos y publicaciones de la antropología cultural.

De igual forma se habla en medios "racistas" de la pureza o la impureza de las razas, y usted comentaba sobre las reflexiones de Ortiz al respecto.

Uno de los números del *Almanaque hebreo. Vida Habanera*, acoge el artículo sobre "Razas 'puras' y razas 'impuras'" (1946), dirigido a desmontar la falacia de las "razas" humanas y donde saca a la luz las contradicciones en los intentos de clasificar supuestas "purezas" e "impurezas" de las mezclas humanas, mediante un contrapunteo de fuentes antirracistas y racistas. Entre los primeros acude a la obra del francés Jean Finot, quien se pronuncia contra los prejuicios raciales y la contrasta con la de los racistas alemanes Hans F. K. Günther (1891-1968) y Jakob Graf, así como del italiano G. Cogní, cuyos puntos de vista sobre la "pureza" de las "razas" son completamente opuestos, pero en cuya lógica se evidencian incoherencias del discurso. También es cierto que en el momento en que Ortiz redacta este artículo aún no había la certeza acerca del origen de los homínidos en África, pues no es hasta 1960 en que los paleoantropólogos británicos Louis Seymour Bazett Leakey (1903-1972) y Mary Douglas Leakey (1913-1996) descubren los primeros fósiles de lo que denominan *Homo habilis*, en la garganta de Olduvai, al norte de Tanzania. Ambos consideran que se trata del primer miembro del género humano, así como del primer fabricante y usuario de herramientas. Si la antropología física no había dado una respuesta aún, tampoco el campo religioso judeocristiano tenía argumentos convincentes y así lo refiere Ortiz con fino humor:

> En la Biblia no se da la geografía del Paraíso Edénico y, a pesar de las especulaciones medievales y de las repetidas conjeturas que hizo Cristóbal Colón en los más bellos países del Nuevo Mundo, no ha podido fijarse el lugar en que la primera pareja humana nació y vivió su pecado, aun cuando fuera por unas bellísimas y solas "seis horas", según dice Fray Bartolomé de Las Casas. El

> *Homo sapiens* ni siquiera sabe dónde fue la patria de sus primeros progenitores; para su rescate no se pudieron hacer antaño cruzadas ni guerras santas, ni vender reliquias del "árbol del bien y del mal", ni para su explotación preparar hogaño excursiones de turistas o tarjetas postales picarescas con vista del lugar maldito donde fue el pecado primero. Libertado un tanto de aquellos prejuicios religiosos que imponen un génesis dogmático, el hombre sigue discutiendo el problema de su verdadera oriundez.

Lo anterior le permite exponer y discutir sobre las teorías que argumentan el monogenismo, al cual se adhiere; el poligenismo y su amplia interpretación y empleo racista y colonialista, o el dudoso ologenismo del *Homo sapiens*; es decir, acude a la antropogénesis para dilucidar la falacia de la raciogénesis y resaltar la significación de las variaciones fenotípicas de acuerdo con las capacidades de adaptación y transformación según la diversidad de los ecosistemas. De ese modo concluye que no hay razas "puras" ni "impuras", sino que es un mito perverso extrapolado de la zoología a los humanos.

¿Usted considera, junto a Ortiz, que la educación es una potente arma para golpear el flagelo?

Sí, claro. Una de las conferencias promovidas por La Universidad del Aire fue impartida por Fernando Ortiz sobre "Los problemas raciales de nuestro tiempo" (1949). Este proyecto educativo es dado a conocer a través de CMQ radio como "[...] una institución de difusión cultural por medio del radio. Está, por tanto, sujeta a las condiciones de acción que le imponen la índole de ese propósito y el medio trasmisor de que se vale". Es transmitido los domingos en horas de la tarde y en ellos participan reconocidos intelectuales de entonces como Jorge Mañach, Emilio Roig de Leuchsenring, Francisco Ichazo, Félix Lizaso y Raúl Roa, entre muchos otros.

Los organizadores de los programas educativos por vía radial, que luego eran publicados, señalaban que:

> El objeto de las disertaciones de la Universidad del Aire es principalmente despertar un interés en los temas de la cultura. Por consiguiente no aspiran a impartir conocimientos detallados o profundos, sino más bien nociones introductoras y generales que abran una vía inicial a la curiosidad de los oyentes. Como el grado de cultura de éstos tiene que presumirse muy diverso, se procurará prescindir en las disertaciones de todo lo que suponga una considerable formación previa, así como de tecnicismos y pormenorizaciones que fatiguen la atención. Los trabajos deberán ser redactados con toda la llaneza de estilo y amenidad de contenido que el tema permita, procurándose sintetizar y dramatizar lo más posible la exposición, y cuidando más en todo momento de la comprensión de los oyentes que del propio lucimiento.

Doctor, si está de acuerdo, seguimos la semana próxima con la visión de Ortiz sobre Martí ¿le parece?

Muy bien. Nos vemos en breve.

Segunda parte

Doctor, veníamos desde la semana pasada hablando sobre la majestuosa obra que nos legara don Fernando Ortiz sobre la problemática racial y, quedamos en abordar esta semana, la mirada atenta de Ortiz sobre el Martí, también antirracista.

En pleno proceso expansivo del fascismo alemán en Europa, Ortiz imparte una conferencia el 9 de julio de 1941 en el Palacio Municipal de La Habana, hoy Museo de la Ciudad de La Habana, en un ciclo en homenaje a José Martí organizado por la Sociedad Cubana de Estudios Históricos e Internacionales, que ese mismo año aparece publicado como "Martí y las razas". Este es un texto de obligada lectura, que mezcla hábilmente vivencias personales de la vida republicana en ciernes, aspectos clave de la historia cubana en relación con la participación de múltiples seres humanos de la más variada pigmentación epitelial en las guerras independentistas, las secuelas racistas del darwinismo y el evolucionismo con sus desacertados intentos clasificatorios, las causas del expansionismo colonialista en la argumentación antropológica del racismo, a la vez que reconoce las inconsistencias científicas de intentar clasificar algo inexistente como las "razas", tal como ha demostrado posteriormente el mapa del genoma humano. De ese modo refiere: "Averiguar cuál es el número de las razas, ha dicho Von Luschen, es tan ridículo como el empeño de los teólogos cuando discutían el número de ángeles que podían bailar juntos en la punta de una aguja".

A partir de las anteriores reflexiones acude a las múltiples ideas extraídas de los textos martianos que sirven para triturar la falacia biológica de las razas humanas. Si bien Ortiz afirma que: "La obra escrita de José Martí no es un tratado didáctico, ni siquiera una faena sistemática, sino una producción fragmentaria, casi siempre dispersa en versos, artículos, discursos y manifiestos"; reconoce que: "En toda la obra de Martí hay una vertebración interna que la articula, una idéntica y medular vitalidad que la impulsa". Inmediatamente acude Ortiz a la afirmación rotunda de Martí, tantas veces referida:

> No hay odio de razas porque no hay razas. Los pensadores canijos, los pensadores de lámparas, enhebran y recalientan las razas de librería, que el viajero justo y observador cordial busca en vano en la justicia de la naturaleza, donde resulta, en el amor victorioso y el apetito turbulento, la identidad universal del hombre. El alma emana, igual y eterna, de los cuerpos diversos en forma y color.

Lo anterior le sirve de argumento para identificar la esencia misma del racismo, no en causas de aparente desigualdad biológica, sino en sus verdaderas causas: las diferencias económicas y sociales, que sirvieron de sostén a las expansiones coloniales y en consecuencia a la gigantesca e infranqueable brecha entre países y regiones ricas y pobres hasta llegar a la situación de nuestros días, en que la sostenibilidad del orbe pende de las consecuencias del cambio climático y de su propia capacidad de homeostasis.

La vigencia de estas ideas es total.

Sí, sí. Ortiz resalta entonces la vigencia de las ideas de Martí sobre las supuestas "razas" y contra los racismos. Vuelve a reducir a cero el mito racista a partir del estigma bíblico del patriarca Noé en todo el ámbito de la cultura occidental. Cómo en América se aplicó este estigma a los primeros pobladores por el padre Joseph Gumilla (1686-1750) y por Bartolomé de Las Casas (1484-1566) en relación con los africanos; y cómo "Ese racismo llegó a tales absurdos que fray Tomás Ortiz y fray Diego de Betanzos sostuvieron que los indios eran como bestias y que por tanto eran incapaces del bautismo y demás sacramentos", sin dejar de hacer alusión a la bula papal de Paulo III, en 1537 y al fanatismo teológico del obispo Juan de Torquemada (1388-1468) quien llegó a escribir: "por justo juicio de Dios, por el desconocimiento que tuvo Cam con su padre, se trocó el color rojo que tenía en negro como carbón y, por divino castigo, comprende a cuantos de él proceden".

Ortiz logra probar cómo en vida de Martí y aún tras su caída en combate, todavía en Cuba se llega a publicar en 1896 el libro del presbítero Juan Bautista Casas con argumentos semejantes en relación con las sublevaciones de esclavos y las consecuencias del castigo divino.

En el desarrollo del texto Ortiz hace referencia a varias ideas principales de Martí sobre el tema, pero llama la atención por su dramática vigencia la que escribe en 1884 tras la muerte de Benito Juárez (1806-1872): "La inteligencia americana es un penacho indígena. ¿No se ve cómo del mismo golpe que paralizó al indio, se paralizó a América? Y hasta que no se haga andar al indio, no comenzará a andar la América". Y no se refiere, por supuesto, a esa parte de América que con pleno orgullo denomina Nuestra, sino a todo el continente. Esta es todavía una asignatura pendiente por resolver en América, pues los pasos que se han dado han sido debidos a la lucha del "movimiento indígena" y los nuevos que hay que dar tienen que ser con los pueblos originarios.

Basado en su anterior conferencia, Ortiz escribe un importante artículo sobre Martí y las "razas de librería", que sirve para la confrontación internacional de estas ideas, pues aparece publicado en *Cuadernos Americanos* de México en 1945. Tanto este trabajo como otros precedentes y siguientes, son parte de una denodada denuncia contra los racismos y sus secuelas, tanto para la opinión pública nacional como a nivel continental y mundial.

El método que emplea en su crítica de la "raza" y los racismos es, en el primer caso reducir al absurdo o anular el valor semántico del pseudoconcepto, que califica como "el más infame de los mitos"; y en el segundo es la denuncia directa y múltiple de actitudes y conductas reprobables, cuando escribe: "Para esos racismos injustificados y ofensivos, Martí tiene una condenación rotunda, inequívoca: La palabra racista caerá de los labios de los negros que la usan hoy de buena fe, cuando entiendan que ella es el único argumento de apariencia válida, y de validez en hombres sinceros y asustadizos, para negar al negro la plenitud de sus derechos de hombre. De racistas serían igualmente culpables: el racista blanco y el racista negro".

UNA VIEJA ENTREVISTA QUE NO PIERDE VIGENCIA*

*Esteban Morales***

Al leer recientes acusaciones de un grupo de intelectuales estadounidenses sobre racismo en Cuba, una joven profesional cubana percibió que le hablaban de un país que no era el suyo. Esto sin dejar de ser muy crítica con la discriminación racial que subsiste en la sociedad cubana. ¿Cuál es su percepción? ¿Acaso es diferente hablar de racismo en los Estados Unidos que en Cuba?

Bueno, esa percepción es razonable. En primer lugar hay que decir que realmente se puede hablar en Cuba hoy de racismo, de estereotipos raciales, de discriminación racial, no como simples lastres, sino como un fenómeno que la sociedad cubana, en su imperfección actual, es capaz de reproducir. Pero el

* Entrevista realizada por Patricia Grogg y publicada en el sitio de International Press Service (IPS), el 29 de noviembre de 2012.

** Miembro titular de la Academia de Ciencias de Cuba. Economista, politólogo, doctor en Ciencias Económicas. Exinvestigador fundador del Centro de Estudios Hemisféricos y sobre Estados Unidos (CEHESEU), adscrito a la Universidad de La Habana, conoce con igual profundidad a ese país, desde el cual unos 60 intelectuales, algunos de reconocido prestigio, acusaron al gobierno de Raúl Castro de perseguir y acosar a las personas por el color de su piel. Autor del libro *Desafíos de la problemática racial en Cuba* y numerosos artículos sobre el tema, coincide con otros intelectuales cubanos en que esas acusaciones desconocen la realidad de su país.

racismo cubano en la actualidad, no se parece al de los Estados Unidos ni al que existe en otras partes de este hemisferio.

¿Cómo se explica esa diferencia?

Hay que hacer un poco de historia. La colonización española fue distinta a la inglesa. Dentro del sistema esclavista, en la sociedad norteamericana, lo existente entonces fue prácticamente un estado de *apartheid* con el negro esclavo. Ellos no podían cantar sus canciones, hablar sus lenguas, ni practicar y desarrollar sus culturas traídas de África o sus creencias religiosas, tenían que hablar inglés y no podían mezclarse con el blanco, el único considerado como persona. La esclavitud inglesa apartaba fuertemente al negro. De un lado y del otro la relación era muy limitada y casi inexistente. Esta característica se debe a que los colonos ingleses llegaron con sus familias y no se produjo el natural fenómeno de que al venir hombres solos, y muy pocas mujeres, como fue el caso de Cuba, por razones naturales obvias los colonizadores se aparearon primero con las indias y después con las negras.

En el aspecto del comercio, la banca y la participación en la estructura del poder político, la colonización española fue muy rígida, pero desde el punto de vista cultural y de las relaciones sociales con el negro, diría que fue un poco menos inflexible. Otro fenómeno importante fue que el negro en Cuba desde 1526 podía comprar su libertad, mezclarse más con el blanco. Existía no solo la esclavitud de plantación, sino también la doméstica, en la que las relaciones dentro de la familia del hacendado con el negro eran menos rígidas que en la plantación. Al negro, no pocas veces, le enseñaban a leer, algunos modales de comportamiento, le daban un tratamiento más o menos familiar, sin que dejara de ser esclavo. Obviamente, el esclavo doméstico también vivía bajo la amenaza de que al menor problema de desobediencia podía ser enviado para el duro trabajo de la plantación o directo al castigo del cepo.

De todos modos, la esclavitud buscaba fuertemente la deculturación del negro, dejándole solo aquellos elementos de su cultura que contribuyeran a hacer más efectiva la explotación de su trabajo. La plantación terminaba siendo una verdadera cárcel, aislada de la vida urbana, en la que el negro recibía todo lo necesario para sobrevivir como fuerza de trabajo bruta. Por lo que la verdadera posibilidad de encontrar un lugar dentro de la sociedad, cuando por algún motivo lograba comprar o recibir de manos del amo la libertad, dependía de la edad que tuviesen; si ya eran viejos, prácticamente solo les quedaba echarse a morir a la orilla del camino. Muchos padecían el llamado fenómeno de la institucionalización, al salir de la plantación, habiendo recibido todo dentro de ella para sobrevivir como fuerza de trabajo, la mayoría no sabía que hacer. Otros tenían menos mala suerte, algunos incluso llegaban a la ciudad, conseguían hacerse de algún oficio o de un trabajo cualquiera y en su inmensa mayoría se refugiaban en la marginalidad de los barrios más pobres, practicando no pocos el llamado cimarronaje urbano.

¿Así es como continuó la mezcla de negros y blancos?

Es más, yo diría que en Cuba surgió un fenómeno que es el llamado fenómeno del blanqueamiento. El blanco hacendado algunas veces le compraba el título de blanqueamiento al hijo que tenía con una negra esclava y había que atenderlo como si fuera un blanco. Incluso ese negro podía heredar. Además, hubo ocasiones en que poco antes de morir, el hacendado concedía la libertad a su esclavo preferido, que le había acompañado durante muchos años. Una ironía, porque a veces ese esclavo era muy viejo, sin oportunidad práctica de gozar de esa libertad. Se trata del fenómeno que se conoce con el nombre de "manumisión". Aunque también como el negro podía comprar su libertad, ello funcionaba generalmente como un acicate para explotarlo más.

Fue surgiendo la mezcla. Para el mestizo la esclavitud no fue tan fuerte como en las colonias inglesas, pero fue un régimen de esclavitud fuerte, que sobre todo duró mucho porque representaba mucha riqueza para España. El año 1886 es la fecha oficial de abolición de la esclavitud en Cuba, penúltimo territorio del hemisferio en abolirla. El racismo de Cuba presenta sus peculiaridades a partir de las características de la esclavitud que hubo en Cuba, ese racismo nos llegó como una herencia del régimen colonial esclavista, hasta el año 1959. Aunque el racismo no apareció con el capitalismo, durante la república desempeñó una función importante como instrumento de poder de las clases explotadoras. El racismo, no surge con el capitalismo, pero tampoco se acaba con él. Cuba es el ejemplo más aleccionador en este hemisferio, de que acabar con el capitalismo, no significa el fin del racismo.

La colonización española fue relativamente diferente respecto a la inglesa, porque en Cuba hubo una fuerte corriente nacionalista antirracista-abolicionista en toda la segunda mitad del siglo XIX. Luego, el proceso social y político vivido por Cuba después de 1959, ha cambiado el país y ha influido bastante en las interrelaciones humanas y raciales, generando una cierta cultura antirracista y una ética antidiscriminatoria, algo no completado, pero que ha avanzado considerablemente de manera paralela a la lucha por la igualdad y la justicia social durante los últimos 50 años.

¿De acuerdo, pero qué pasó con el tema racial en la era republicana?

Antes de 1959 en Cuba existía un racismo que venía de la colonia, con el fenómeno de la esclavitud y la trata, que es la combinación clave en ese proceso de la emergencia del racismo en la sociedad cubana y que se reforzó hacia finales del siglo XIX y principios del XX, con la entrada de los Estados Unidos, es decir, con la intervención norteamericana en Cuba y el control que diseñaron los interventores, sobre la república que entonces emergió, la que sin duda, comenzó siendo un protectorado.

A principios del siglo xx, en Cuba había lugares solo para blancos así como los intentos de fundar un Ku Klux Klan en 1910, lo que no fructificó, pero hubo ese intento; como también hubo cierto interés de algunas personas de volver a África, un poco copiando lo que pasaba en los Estados Unidos durante esos años. Aunque este último fue un fenómeno que no prendió en Cuba. Los cubanos negros, estaban muy vinculados a la patria cubana. Lucharon desde ella, en las Guerras de Independencia, cifrando en ellas sus esperanzas de libertad y mejor vida y no se generó ninguna ideología del retorno al África. Lo que sí hubo fue un gran proceso de frustración, que afectó muy seriamente a los negros, en primer lugar, como resultado de haber emergido de la contienda independentista, sin tierras, muchos de ellos analfabetos y sin posibilidades de obtener un empleo decente.

Pero hay que decir que la situación del racismo en Cuba nunca fue como en Estados Unidos, no llegó a ese estado de agresividad, de continuada depredación, de *apartheid* contra las personas negras. Aunque en 1912 tuvo lugar el fenómeno del Partido Independiente de Color, con la entonces llamada Guerrita del Doce, donde el racismo que ya existía se exacerbó y todavía estamos averiguando cuántos asesinados hubo por aquello de los ataques contra los miembros del Partido Independiente de Color y su contradicción con la llamada Enmienda Morúa. Todo indica que hubo más de tres mil o cuatro mil asesinatos. Fue algo muy fuerte, que afectó mucho la situación de la población negra cubana, asunto poco conocido y prácticamente no estudiado en nuestro sistema nacional de educación.

¿En qué falló el proyecto social de la Revolución Cubana que no logró eliminar las desventajas de su población negra?

Al triunfo de la Revolución, la política social no hizo diferencias, todos los pobres fueron tratados por igual, no se diferenció al negro, cosa que debía haberse hecho, porque el color de la piel en Cuba es una fuerte variable de diferenciación social. El blanco llegó por voluntad propia, con un proyecto de vida que no pocas veces realizó; el negro fue traído obligado en los barcos negreros, y las consecuencias de ello no se pueden eliminar en 50 años de revolución. Tales puntos de partida, de los diferentes grupos raciales que componen la población cubana se hacen sentir hasta hoy.

Pero también dentro del proceso revolucionario se cometieron errores. El primero fue no diferenciar por el color de la piel, dentro de la política social. Se partió de atacar la pobreza y de que esta última era igual para todos los grupos raciales que componen la sociedad cubana. Por lo que, aunque todos los pobres elevaron su nivel y entre ellos, los negros llegaron a tener una posición mucho más favorable, cuando llegó la crisis del llamado Período Especial, nos dimos cuenta que esos puntos de partida actuaban, y que la gente que más estaba sufriendo el Período Especial eran precisamente los negros y mestizos y que entre la gente que no había logrado forjarse un proyecto de vida, era el negro el que en más desventajosas condiciones había quedado para lograrlo. Eso es lo que se pone de manifiesto en Cuba ahora. Fenómeno que Fidel Castro ha caracterizado como "discriminación objetiva".

El segundo error fue inducido por la propia situación de la Revolución Cubana desde el mismo año 1959. Se trata del enfrentamiento con el imperialismo, en particular con los Estados Unidos. La agresión económica de los Estados Unidos desde el principio, bandas contrarrevolucionarias, prácticamente en todas las provincias, sabotajes, asesinatos, una invasión mercenaria en 1961, el llamado Plan Mangosta y una confrontación en 1962, por la que Cuba estuvo a punto de verse envuelta en una guerra nuclear.

Durante el propio año 1962, después de que Fidel había criticado fuertemente el racismo, especialmente en marzo de 1959, habiéndolo declarado como una lacra social que debía ser solucionada, ya en el propio año 62 se dio como un problema resuelto. Se quería evitar que el componente de división subyacente en el problema racial, se pusiese de manifiesto, en medio de una situación en la que se consideraba que los cubanos debíamos estar muy unidos para enfrentar los serios problemas de la contrarrevolución.

Hubo entonces un largo período de silencio, que se justificaba por algunas cosas relativas al mantenimiento de la unidad, porque hablar de esas diferencias era como hacerle el juego al enemigo. Por tanto, en medio de las fuertes presiones sociales del momento, a quienes hablaban de esos temas se les acusaba de racistas y divisionistas.

En medio de una situación de búsqueda de la igualdad y de la justicia social para todos, también de igualitarismo, que aliviaba fuertemente las diferencias, aunque no las solucionaba todas, pero acciones en fin, que generaban entonces un ambiente social y político represivo, ante cualquier intento que pretendiera sacar de nuevo a flote los problemas del racismo y la discriminación racial.

Hubo algunas personas, intelectuales sobre todo, que continuaban hablando del tema, entre ellos Walterio Carbonell y otros, que sentían disgusto porque el tema no fuera tratado, aunque en realidad, fueron más bien actitudes aisladas, que aunque tuvieran la razón, no encontraban mucho coro ni aceptación. Pensamos que estaban en lo cierto, el tema no debía ser olvidado, pero el ambiente de entonces no les era propicio.

Si aún en los días que corren, hay quienes reaccionan mal ante el tema y se asombran tanto de que se diga que en Cuba hay racismo y discriminación racial, imaginemos cómo sería en medio de los años sesenta y setenta, cuando realmente las preocupaciones eran fundamentalmente otras, cuando no se quería hablar de algo que algunos pensaban como resuelto y que se consideraba nos dividía, con una idea predominante para entonces de que el asunto racial no se hacía sentir de manera suficiente. Aun hoy, la dificultad mayor con que tropezamos, es hacer comprender a muchos que el problema existe y que debe ser atacado fuertemente.

Volviendo a la acusación de los intelectuales estadounidenses. Entre ellos hay varios de renombre. ¿Usted dice que están equivocados completamente?

Inclusive, no pocos de ellos han apoyado históricamente a la Revolución Cubana, pero que ahora se les manipula, haciéndoles firmar un documento que no expresa la realidad interna cubana respecto al tema racial. Algunos de ellos, han solicitado finalmente que se quite su firma de ese documento.

Lamentablemente, la persona que ha liderado esta acción, es Carlos Moore, cuya actitud mercenaria en África está más que probada, al haber sido traductor de Holden Roberto, jefe del denominado FNLA; acompañando a este en sus viajes a Washington y haber permanecido a su lado durante el exilio del Sr. Roberto en los Estados Unidos. Sabiéndose además, que las llamadas Alianza Afrocubana, la Asociación de Encuentro de la Cultura Cubana y las Bibliotecas "Independientes" por Cuba, lideradas por Moore, han sido continuamente receptoras de fondos de la NED, dispositivo creado por el gobierno norteamericano para canalizar los fondos de la CIA hacia la actividad subversiva contra Cuba.

Por eso este documento tiene sus peculiaridades, no está asentado única y exclusivamente en dar una interpretación de la situación racial en Cuba, sino que se trata de una campaña de algunas personas en los Estados Unidos que hacen una crítica al racismo en Cuba (apoyándose en algunos problemas de nuestra realidad) montándola en otros pilares. Critican la discriminación y el racismo, pero no como lo hacemos nosotros desde Cuba. Porque nosotros luchamos por los derechos civiles de los negros, hablamos de racismo, de discriminación, estereotipos de asuntos que hay que resolver aquí en Cuba, con las dificultades propias de que durante mucho tiempo no le dedicamos atención al tema, nos atrasamos en su tratamiento.

En segundo lugar, cuando observas la crítica que ellos hacen, dicen que este señor (Darsi Ferrer) está preso no por haber cometido un delito, sino porque es negro y es un luchador por los derechos civiles de los negros, y eso no es así, ese señor no es un luchador por los derechos civiles de los negros en Cuba, más bien, es un desconocido dentro de la lucha que estamos librando internamente en Cuba, dentro de un tema que nuestra sociedad debe superar definitivamente.

Ellos, sin embargo, parten de la base de que el racismo y la discriminación en Cuba es culpa de la dirigencia política del país, montando la crítica sobre los mismos parámetros con que han hecho las críticas a Cuba las diferentes administraciones norteamericanas. Según ellos, no hay derechos humanos, no hay derechos civiles, no hay libertades para los negros, y ello, por tanto, los hermana fuertemente tanto a los mercenarios internos, como a la crítica contrarrevolucionaria que se hace desde Miami, desde los grupúsculos políticos de la llamada disidencia interna y desde el gobierno norteamericano. Los que hacemos esas críticas desde aquí, no las montamos en esos parámetros; no se habla de dictadura totalitaria, ni de falta de democracia y de derechos civiles para los negros en Cuba. Sino se habla de una lucha que debemos librar todos los cubanos de la Isla, para perfeccionar el proyecto social de la Revolución, que siempre ha sido un proyecto de igualdad y justicia social para todos.

Estos críticos del llamamiento, al mismo tiempo, lo que tratan es de inmiscuirse en la crítica en Cuba, para darle una orientación "disidente", contrarrevolucionaria; aunque estoy seguro, muchos de ellos, de tener un contacto exacto con nuestra realidad, se asombrarían de la profundidad y fortaleza de nuestra crítica. Pero nuestra crítica, es una crítica desde la Revolución, que la asumimos casi como una autocrítica, porque estamos conscientes, de que aunque haya muchos problemas, los negros no hubiéramos podido llegar a donde no pocos hemos llegado sino hubiera sido porque en

Cuba hubo una Revolución, eso es lo que hace nuestra realidad profundamente diferente a cualquier otra.

Por tanto, seríamos muy tontos, los que en Cuba libramos estas batallas contra el racismo y la discriminación racial, si nos dejáramos llevar por los "cantos de sirena", de que fuera de la Revolución cubana y bajo otro régimen político u otros liderazgos, vamos encontrar algo mejor que lo que hoy tenemos en Cuba.

Sería preferible que esos que nos critican, desde fuera, emplearan sus fuerzas para luchar contra el racismo y la discriminación dentro de la sociedad norteamericana. Para ver si tendrían entonces las libertades y el apoyo para hacerlo, como nosotros lo tenemos en Cuba. Porque nosotros en Cuba, no necesitamos ese tipo de defensa que ellos quieren desarrollar, supuestamente, en favor nuestro.

Yo dije en una entrevista en el semanario *Trabajadores* (14 de diciembre de 2009) que hay que perfeccionar la democracia, los derechos civiles, pero no solo para los negros, sino para toda la sociedad; porque en Cuba el racismo no es institucional, no es un problema de sectores, aunque en algunos casos pueda adoptar formas institucionales; no lo ejercen las instituciones a sabiendas y por mandato del Partido y del Gobierno, sino que es un fenómeno cultural, social, económico, político, tiene todas esas manifestaciones. Un fenómeno de toda la sociedad. Es una característica principal de esa lucha, el tener como aliados al gobierno y al partido. Es el primer aliado en esa lucha, Fidel Castro, quien fue el primero que habló del tema en 1959, y que también lo retomó, después que resurgió, durante el Período Especial, abordándolo en los congresos de pedagogía, la Uneac, etcétera.

Sí, usted ha aclarado en más de una ocasión, que en Cuba el fenómeno del racismo no es institucional, pero también ha dicho que en este país se educa a las personas "para ser blancas". ¿Cómo explica esa contradicción? ¿Cree justo considerar este tipo de contradicciones una forma "institucionalizada" de racismo?

Sí, es una cierta forma institucionalizada, pero no por directiva política consciente, sino derivada de fallas y errores en el proceso educacional. Entre otros, porque en la educación no se menciona el color, y hay muchas deficiencias en la enseñanza de la historia (falta mucho el estudio de África, Asia y Medio Oriente), falta aún mucha representatividad racial en nuestros libros de texto y en nuestra bibliografía en general, sobre todo en los libros de historia; pero son problemas que no tienen que ver simplemente con el organismo de Educación, sino con errores y fallas de la vida social, disfunciones sociales, junto a deficiencias administrativas, en que las cosas no funcionan como debe ser. Pero no porque haya una conciencia superestructural, una ideología organizada para ejercer el racismo desde una institución determinada.

¿Cuáles son las expresiones de esta educación para ser blanco?

Tenemos que resolver algunos problemas de occidentalismo en nuestra educación que arrastramos y no pocas veces reproducimos, debemos profundizar en la enseñanza de la historia, en la representatividad racial en nuestra bibliografía. Tenemos que llevar el debate de la discriminación racial a la escuela, para que cuando el muchacho salga a la calle y se tope con una expresión racista esté en condiciones de reaccionar adecuadamente en defensa de nuestra cultura multicolor. También porque debido a insuficiencias en la enseñanza sobre África, Asia y Medio Oriente el muchacho sale de la escuela sin conocer suficientemente y a fondo las raíces de la cultura cubana. De qué cultura cubana, general e integral vamos a hablar si los estudios sobre la esclavitud quedan casi siempre en el siglo xix y no se estudian las profundas consecuencias de ese fenómeno presentes aún en nuestra sociedad.

En realidad, no debiéramos educar para ningún color. Pero si al educar, dentro de una sociedad multirracial, multicolor, aún de hegemonía blanca, dejamos el color fuera de la educación, en la práctica estamos educando para el color que aún ostenta la hegemonía: el blanco. Sobre todo si tomamos en consideración, que aún existen otros asuntos que conspiran contra una educación equilibrada en cuanto al color.

No es difícil percatarnos, que resulta muy poco lo que se enseña sobre la cuestión racial en las escuelas. Dentro de ello, se repiten algunas frases de José Martí, como "(...)hombre es más que negro, más que mulato(...)" sin ir muy al fondo de lo que ello significa, y dejándolo solo en una cuestión ética. Como resultado de todo ello, el pensamiento de José Martí, respecto a la raza, está menos en la escuela cubana que las tesis de José Antonio Saco, con su no aceptación del negro y su famosa idea de "(...)blanquear, blanquear, blanquear y luego hacernos respetar". Es más, Saco se sentiría muy apoyado, dentro de nuestra realidad social actual, al existir aún el "blanqueamiento", la famosa tesis del "adelanto de la raza" y la tendencia existente aún dentro de Cuba, de "siéndolo, no autoasumirse como negro o negarlo". Si aún, no atacamos, todo lo fuerte que debiéramos hacerlo, los estereotipos, la discriminación y el racismo comtinuarán. ¿Qué pensamiento entonces tiene mayor presencia dentro de nuestra realidad, respecto a los problemas de la raza, si nosotros no asumimos aún el tema en la educación de nuestras nuevas generaciones? si en las escuelas no se menciona el color, si el estudio de la esclavitud, dentro de nuestro sistema de educación, llega apenas hasta finales del siglo XIX, si en nuestra enseñanza apenas abordamos África, Asia y Medio Oriente, y si dentro de nuestro trabajo científico apenas asumimos la investigación de los problemas raciales. Si es apenas, en los últimos veinte años, que volvemos a hablar de la cuestión racial y es tímidamente ahora que hemos comenzado a asumir el tema.

Entonces, la conclusión es bien evidente, no es que tengamos solo un problema al no asumir el tema racial, sino algo aun peor, es que el pensamiento dominante sobre la raza en Cuba hoy, parece ser aquel que dentro del siglo xix, asumían los liberales del período, liderados por José Antonio Saco. Pensamiento, al que los contemporáneos, le hemos permitido irse por encima de aquel pensamiento nacionalista y antirracista que combatió contra la colonia y el racismo, por la abolición de la esclavitud y la independencia de Cuba desde mediados del siglo xix. Por lo que las consecuencias de no abordar el tema racial, son más negativas de lo que hubiéramos podido imaginar.

En lo cultural, existe la impresión de que lo negro se convierte en algo folclórico.

No solo eso, está también la discriminación de las religiones africanas, las que no pocas veces se las considera por muchas personas como oscurantismo, que no la ven como un patrimonio ético, cultural y de la educación filosófica para la vida, que está presente en esas religiones, como en la regla de Palo Monte, Ocha y otras.

Mis abuelas tenían un concepto de la educación, de la alimentación, de la salud, del buen comportamiento, un sentido ético, y no lo tenían a partir de una educación occidental, ni siquiera por haber ido mucho a la escuela, sino por haber bebido dentro de la tradición familiar ciertos criterios éticos, a partir de sus propias creencias religiosas y de muchos valores que venían a veces de la propia esclavitud. Pero demasiadas personas ven aún esas religiones como oscurantismo, aunque para vergüenza de no pocos, ellas hayan logrado imponerse y sean hoy la clave de la religiosidad del cubano, blanco, mestizo o negro.

Todo ello es fruto también de fallas institucionales, pero no se trata de un racismo institucional, sino de insuficiencias y errores que traen como resultado que las mismas instituciones hagan su aporte negativo para la existencia del racismo.

Pero eso que explicamos no es lo que existía antes. En el capitalismo cubano, el negro no podía trabajar en compañías y oficinas bancarias, industriales, de servicio, o en las grandes tiendas de La Habana. Y aunque a eso la Revolución le puso un valladar, no quiere decir que ello no pueda ocurrir hoy como un hecho aislado, aunque la revolución lo haya convertido en algo ilegal e incorrecto. Entonces al combatirlo hay que llevarlo a la vida cultural, a la contradictoria dinámica económica y política de la sociedad; puede ocurrir que un jefe de cuadros de cualquier empresa eche a un negro o no le dé la oportunidad, pero no dice que por negro, por lo cual nosotros planteamos que hay que crear mecanismos para que nadie se pueda dar el lujo de hacer eso; porque el Estado, nuestras leyes condenan eso, pero para que no suceda hay que crear mecanismos para que no ocurran en la dinámica práctica de la vida. No dejándolo solo a la conciencia, a la subjetividad, ni a la espontaneidad.

¿Diría usted que las propias personas negras desconocen cómo hacer valer sus derechos?

Por supuesto, porque en Cuba uno de los problemas que tenemos es la falta de conciencia racial. Tal parece como si estuviéramos planteando retroceder. Para el llamado blanco eso no es tan importante, porque siempre estuvo en el poder, eso es un problema principalmente para el negro, que debe de tener conciencia de que tiene que pelear por sus derechos, de que debe tener conciencia racial para luchar contra el racismo y pelear por su lugar dentro de la sociedad cubana. Ser consciente que puede luchar por todo, pero también por su identidad como negro y en la práctica ser suspicaz para darse cuenta cuando me discriminan si soy negro, porque en mi identidad por derecho y realidad histórica entra el ser negro.

El negro en Estados Unidos no está protegido, ni desde el punto de vista institucional, ni en el empleo ni en la administración de justicia, ni en nada. Aquí en Cuba decimos que hay que buscar más esa protección, fortaleciéndola, no solo a partir de la institucionalidad revolucionaria, sino también a partir de la individualidad.

En Cuba aún hay racismo y sin conciencia racial no se puede luchar contra eso. Tengo que estar consciente de que no vivo en una sociedad perfecta, donde todos están dispuestos a respetar mis derechos; no, debo tener la conciencia de que desde mi individualidad, más allá de lo que el Estado, el Gobierno y toda la institucionalidad revolucionaria me puedan defender, yo también tengo que luchar por que se respeten mis derechos.

En la televisión cubana hay dos canales educativos y hasta hace muy poco tiempo no aparecían caras negras y mestizas. Hay camarógrafos que nos han dicho, en discusiones con ellos, que el negro no "televisa bien", y en los castin eligen a veces solo a blancos, y en las novelas no aparecen prácticamente caras negras y mestizas. Es algo en lo que se ha comenzado a avanzar un poco, pero aún es muy insuficiente lo que se ha logrado. De no hace mucho, podemos recordar programas infantiles donde todos los niños eran blancos, rubios y de ojos azules. Algo que también hemos comenzado a superar, pero todavía de manera insuficiente.

¿Esto demuestra que estamos ante un asunto pendiente de solución?

Sí, porque se trata de un fenómeno que persiste en la conciencia de la gente, en la familia, en las instituciones y en las relaciones personales de la gente, aunque esté penado desde el punto de vista moral y social. Siendo una cosa que no se puede resolver en 50 años, sino con cada generación, con la educación, hay que hacer un trabajo cultural fuerte y a la vez atacando sobre aquellos enclaves en los cuales administrativamente el racismo puede aparecer. Sin olvidar tampoco la parte de las oportunidades económicas para todos por igual. Porque hoy todavía hay muchos lugares en que a los negros no se les ve desempeñando papeles protagónicos de cierta jerarquía, ejemplo claro de lo cual, es la llamada economía emergente: la del dólar, el turismo y las corporaciones.

¿Si el racismo se manifiesta de tan distintas maneras en la sociedad cubana, a contrapelo de un rechazo institucional, qué ha faltado o qué falta por hacer?

Falta mucho por hacer, porque una cosa que nos pasó a nosotros con el tema es que al declararse resuelto en el año 1962 no le prestamos atención específica y suficiente durante muchos años después. Yo diría que es en los últimos veinte años, cuando hemos venido poniendo de nuevo el tema en la picota. Pero aún falta mucha actividad práctica. Aún falta entrar en algunos patios particulares, romper algunos colectivos excluyentes, que se cohesionan fuertemente, para evitar a los *outsider*.

¿Se declaró resuelto el problema, sin estarlo?

Sí, por un error de idealismo y voluntarismo, presionado por una circunstancia política, porque se pensaba que eso podía resquebrajar la unidad, ante la realidad política de ese momento. Acepto que esos momentos, de los años sesenta y setenta, eran realmente críticos para la supervivencia de la Revolución. Acepto al mismo tiempo que el debate hay que orientarlo muy bien, porque el tema tiene un alto componente de división social.

Pero pienso que hace falta, después de esa circunstancia vivida, que la gente sepa que el problema existe, que interprete bien cuáles son sus manifestaciones, cómo nos afecta y el daño que hace al proyecto social de la Revolución. Que la gente entienda bien que los cubanos no somos iguales; somos iguales ante la ley, pero la igualdad social es algo mucho más complejo; que no se trata de un fenómeno puramente económico, político e ideológico, sino multidimensional, que lo abarca fuertemente el fenómeno cultural y también el fenómeno de la identidad.

Debemos partir de que la desigualdad existe, porque la igualdad es el proyecto, la desiderata, mientras la desigualdad y la diferencia son aquellas cosas con las que te tropiezas todos los días; tenemos que ganar conciencia de eso para poder luchar contra la desigualdad. Solo con una conciencia clara de las desigualdades aún existentes, es que se puede alcanzar la igualdad verdadera y sobre todo duradera.

Si creemos que todos estamos parados sobre la misma cuerda, estamos muy equivocados, hay que tener conciencia de que la desigualdad existe y aunque se ha luchado contra ella hasta el mismo borde del igualitarismo, nuestra sociedad todavía presenta serias desigualdades, como herencia y al mismo tiempo como fenómeno generado que si no se atiende, se reproduce, como resultado de las imperfecciones de nuestro modelo social, que debe ser perfeccionado, porque en su interior existen aún disfuncionalidades, cosas que no avanzan como deben y que no mejorarán por sí solas.

Quiere decir que hay fenómenos dentro del modelo social, que aunque nosotros tengamos como proyecto la igualdad para todos, no avanzan hacia la igualdad. Cosas que no podemos resolver, sino, a veces, solo tratar de equilibrarlas, como es el caso de que unas personas reciban remesas y otras no; eso no lo podemos resolver. En los Estados Unidos, más de 80 % de la población cubana emigrada es blanca, más o menos 15 % de la población es negra y mestiza. Son los blancos los que más remesas mandan, porque los negros llegaron tarde a los Estados Unidos y en general sin apoyo que los ayudara a encontrar las posiciones menos desfavorables y cuando ya Estados Unidos no era el país de todas las oportunidades.

Yo he pasado por Miami en más de 40 ocasiones y en la fila del aeropuerto, para tomar el vuelo de regreso para Cuba, si acaso, te encuentras con dos o tres familias negras que vienen, se trata de una rareza. Eso te dice que quienes más remesas reciben son los blancos. Que los negros son los que en menos condiciones están de ayudar a sus familias en Cuba.

Los cubanos blancos llegaron a los Estados Unidos desde 1959, por lo general, con apoyo de otros familiares; mientras los negros solo lo hicieron masivamente a partir de los ochenta, en las oleadas de los llamados "marielitos" principalmente, y ya no llegaron en el momento de mayores oportunidades, el pastel ya estaba repartido, precisamente de manera mayoritaria entre aquellos que discriminaban racialmente a los negros en Cuba, y entonces estos últimos no tienen los mejores empleos, ni las mejores condiciones de vida, ni las mismas oportunidades para enviar paquetes y remesas a su familia, lo cual se notó más que todo en el Período Especial. Son los blancos e intelectuales los que más remesas reciben; los que menos las reciben son los negros y los obreros.

¿Por qué la marginalidad y la pobreza se reproduce mayormente en sectores negros de la población cubana si la política educacional, por mencionar aquella que puede abrir oportunidades de avanzar en la escala social, es gratuita y favorece a todos por igual? ¿En otras palabras, dónde o en qué ha fallado el programa social de la Revolución Cubana que no logró eliminar las desventajas de su población negra?

Porque los puntos de partida del negro con respecto al blanco están muy detrás y son también culturales. El negro es el menos culto y el de menor autoestima, él tuvo menos acceso a la riqueza, el que menos sabe vivir, el que partió de más atrás en la escala social. Cultura es saber vivir y el negro es el menos culto para saber vivir, el que más problemas de autoestima tiene. El negro es el que más sufre el fenómeno, de que al no poder muchas veces alcanzar las oportunidades para destacarse por lo positivo, decide a veces destacarse por lo negativo.

El negro ha sido históricamente el grupo social que menos acceso ha tenido a la cultura y que más ha vivido enclaustrado en su ámbito cultural, dentro de una sociedad de hegemonía cultural blanca. Es el que menos oportunidad ha tenido de prepararse para acceder a la revolución científico-técnica. A lo que se le ha agregado el haber sido históricamente el menos aceptado en los mejores empleos y en las posiciones más ventajosas, el discriminado por su color y fisonomía, el que arrastra aún parámetros de vida más desfavorables: vivienda, espacio de vida, barrios donde vive, si tiene o no una computadora, si tiene o no una familia que lo estimule a estudiar, si tiene más o menos acceso a los bienes materiales necesarios.

Hubo un momento determinado que yo lo discutí bastante. Por ejemplo, había un trabajo que se presentaba anualmente sobre pobreza en La Habana y yo lo criticaba, y le decía a los autores: hasta que ustedes no midan la variable color de la piel no estará completo, porque no van a encontrar realmente la pobreza. Y cuando lo hicieron llegaron a una conclusión diferente y precisa: no es lo mismo ser pobre y blanco que ser pobre y negro y si además de eso eres mujer negra, tienes las tres cruces.

Tengo amigos negros, militantes del partido que dicen "mi hija no se casa con un blanco" y viceversa, porque el problema del racismo del negro viene siendo como una reacción ante el racismo del blanco, pero que con el tiempo se instaura como una parte de la cultura del negro y este asume los parámetros del concepto y termina convirtiéndose en un racista también; nuestros medios tienen que trabajar fuerte en eso, fundamentalmente la televisión.

Por eso Fidel se refiere a la discriminación objetiva, hablando de un fenómeno que está asociado a la distribución de conocimientos y niveles de vida.

¿Qué sucedió entonces con los proyectos sociales de la Revolución?

Los proyectos sociales durante años no tuvieron en cuenta el color; lo tienen en cuenta ahora, porque nos percatamos, en el Período Especial, que a pesar de todo lo hecho en los campos de la educación, la cultura y la tecnología, los negros siguen por debajo. Ahora si vas al Centro de Ingeniería Genética ves muchos negros doctores, especialistas, investigadores, pero si vas a ciertos barrios populares, vemos más negros jugando dominó, bebiendo, matando el tiempo, en la marginalidad, y el fenómeno de que proporcionalmente estén más en las cárceles viene de ahí. El negro, por múltiples desventajas sociales que aún arrastra, está más cerca del delito. No por tener la piel negra, sino por haber sido quien más arrastra aún los puntos de partida de la esclavitud, el racismo y la discriminación racial, y la marginalidad, que la República reprodujo y que aún, después de 50 años la Revolución no ha podido eliminar.

¿En qué momento se comenzó a tener en cuenta este problema?

Desde el mismo Período Especial se orientó tener en cuenta eso. Fidel lo orientó personalmente. En la capital había 80 000 jóvenes que no trabajaban ni estudiaban y la inmensa mayoría eran negros y mestizos, de ahí viene el Programa de los Trabajadores Sociales, y otros programas que le siguieron, que también han contribuido mucho a encaminar las soluciones para un conjunto de problemas.

Yo tenía un aula de 70 alumnos al principio del Período Especial, donde había 14 negros y mestizos. La universidad en el Período Especial empezó a blanquearse. De mis 14 alumnos negros en un semestre, cuando terminó quedaban seis y se trataba de seis etíopes que estaban estudiando en Cuba. Los cubanos negros tuvieron que salir corriendo a buscar cómo sobrevivir y ayudar a la familia; es un fenómeno que se arrastra y que en alguna medida, si no se le ataca fuertemente, se reproduce de generación en generación.

El único intelectual en mi familia soy yo. Ya mis hijos son universitarios, porque sus padres son universitarios. Pero en mi familia, el único que pudo hacer estudios superiores fui yo. Mi padre era carpintero, mi madre, ama de casa, mis abuelas, fueron empeladas domésticas. Mis hermanos ninguno llegó a terminar la universidad. Mi padre era un magnífico hombre, me quería mucho, pero vivíamos cinco en un cuarto y a las diez de la noche tenía que apagarme la luz, porque él debía levantarse a las cuatro de la mañana y no lo dejaba dormir; yo tenía entonces que sentarme bajo el único bombillo en el patio del solar o buscar una vela para poder continuar estudiando.

¿Cuál es su experiencia personal respecto de este asunto? ¿Se ha sentido marginado o discriminado en algún momento de su vida por el color?

Hay que decir que en Cuba después del año 1959 pudo haber uno u otro momento en que yo me sentí discriminado. Pero antes de 1959 tuve una terrible experiencia. Gané una beca para estudiar en una escuela católica de mi pueblo, por un concurso de oposición, había que hacer una composición sobre Martí. Pero la planilla de inscripción al concurso no llevaba foto y cuando me avisan que había ganado y me presenté ante el tribunal, sentí el murmullo. Eso fue en 1953, me mandaron a salir y había uno en el tribunal que conocía a mi abuela paterna y parece que esa persona, caballero católico, que era el esposo de la hermana de la señora de la casa donde mi abuela trabajaba como criada, discutió y entonces me aceptaron por los argumentos que ese señor dio allí en el tribunal. Yo vivía en un cuarto; era pobre, de familia pobre. Tuvieron que darme la beca para estudiar desde cuarto grado de primaria, preuniversitario hasta bachillerato, en la escuela de los Trinitarios de Cárdenas; había curas que me llevaban a patadas, me discriminaban. Hubo un cura italiano que me trataba bien. Cuando salí de eso, a partir de 1959, vinieron los tiempos de la Revolución, la experiencia de la Asociación de Jóvenes Rebeldes, la de haber ido como maestro voluntario a Minas del Frío, en la Sierra Maestra; el trabajo como maestro en Holguín, la experiencia universitaria, estuve movilizado durante la Crisis de Octubre como artillero, e ingresé en la Universidad en un momento en que entraban muchos hijos de obreros y campesinos, yo no sentí entonces el fenómeno de la discriminación y al pasar de los años no he podido sentirla tampoco, por una razón de desarrollo intelectual, que aunque hubiese alguien que quisiera discriminarme no lo puede hacer. Esa es mi historia personal.

Sé de otros que fueron reprimidos por hablar del tema y fueron sacados de sus trabajos y trasladados a otros puestos. En mi familia, otro que pudo estudiar en la Universidad fue un tío mío cuyo padre era prestamista, garrotero, porque había que ir desde Cárdenas hasta La Habana y tenía que pagar pasajes, ropas, hospedaje, matrículas y por eso ningún pobre podía darse ese lujo. Por lo general ningún negro o pobre, aunque fuera blanco, podía venir a estudiar a la Universidad antes de 1959. Porque estamos hablando de raza, pero no olvidemos nunca el asunto de clase. Lo que pasa es que el negro, sobre todo, si es pobre, resulta doblemente discriminado. En los Estados Unidos el asunto de reunir dinero, para la entrada a la Universidad, es un tema permanente de la vida norteamericana, que se aborda mucho en sus películas.

¿Por qué hay tantas negras maestras y negros maestros?, porque era una de las formas de conseguir trabajo con una profesión decente, pasando la escuela normal. Era una manera de tener acceso a un empleo de cierto nivel, sin tener que estudiar tanto tiempo. Médicos o abogados negros había muy pocos.

Según el último Censo, 10 % de la población cubana se reconoce como negra y cerca de 25 %, mulata o mestiza. Pero otras versiones aseveran que la población negra es mayoritaria y afirman que constituye más del 62 %. ¿Qué dicen sus investigaciones al respecto?

Tengo, en el campo racial, muchas contradicciones con las estadísticas del Censo. No hace mucho publiqué un trabajo que se llama “Color de la piel y estadísticas”. Vamos a tomar un ejemplo, el caso de Estados Unidos, yo he estudiado mucho la economía de ese país y cuando tomas su tasa de desempleo federal y la caracterizas más profundamente, son diferentes, de acuerdo con los estados. Pero cuando tomas la estructura sociodemográfica de la sociedad estadounidense, la tasa de desempleo actual, que es 10,2 %, la federal, digamos, entre los hispanos es 20 % y entre los negros, 30 %. En tanto, entre los negros de entre 25 y 35 años puede ser hasta 40 % o 50 %. Por eso creo que nosotros debemos depurar nuestras estadísticas y tomar en cuenta no solo el color de la piel, sino también otros parámetros sociales. Falla por la que te dicen que en Cuba hay 35 % de negros y mestizos y es más, dicen que en Cuba hay solo 10 % de negros. Hay una cierta tendencia a la mezcla, por eso en las estadísticas el mestizo sube y el negro baja, pero yo considero que realmente en Cuba, la población no blanca es de más de 60 %. Está demostrado que Cuba es uno de los países de este hemisferio, donde la presunción de blancura se aparta más de la realidad de cuantos realmente son blancos o negros dentro de la población. Sobre todo teniendo en cuenta, la cantidad de personas que no siendo blancas, no se asumen como negras o mestizas en Cuba. No se toma el dato del color de los que nacen. Si ves una foto mía cuando nací, yo era blanco, pero mis dos padres eran negros.

¿El mestizo se admite como tal o más bien se reconoce como blanco?

En Cuba existe el fenómeno del blanqueamiento, sobre todo que tomó mucha fuerza con las tesis de José Antonio Saco, para el cual el negro no entraba en su proyecto de nación, ni de ciudadano cubano. Con el "Gracias al Sacar", durante el siglo xviii, se podía comprar el título de blanco. Un hacendado blanco, que tenía un hijo con una negra podía hacerlo.

Hay muchas personas que siendo negras no se asumen como tal. Hay otros fenómenos, como el llamado "adelantar la raza". Además, durante largos años en las encuestas o planillas no se tomaba color de la piel.

En el Censo de 1970 tomamos "color de la piel" y no se procesó, por supuesto se trata de una barbaridad. Después en el año 1981 sacamos una separata de la población cubana por el color de la piel, pero cuando revisas muy poco te ayuda para hacer comparaciones de ningún tipo.

Mi hijo mayor, típico mestizo, perdió el carné de identidad y cuando llegó a hacerse el nuevo le preguntaron el color de la piel y él respondió que era negro y le dijeron que no podía ser, él indicó que pusieran mestizo, le dijeron: "eso no existe", y le pusieron blanco en el carné de identidad. La cantidad de prejuicios que se esconden detrás de estos fenómenos son muy grandes, y todos ellos se reflejan en nuestro censo.

Tenemos muchos prejuicios con el tema del color en nuestras estadísticas; si no observen las propias estadísticas sociales que nosotros enviamos para Naciones Unidas. Todos esos anuarios estadísticos están citados por mí en un ensayo que se titula "Color de la piel: Nación, Identidad y Cultura".

Que no me digan más que en Cuba hay un determinado porcentaje de desempleados, lo que quiero saber es de qué color son esos desempleados y dónde viven. Pues, parto de la base de que si tenemos un proyecto social, su avance debemos medirlo desde los más atrasados, que son los que marcan el paso de la guerrilla, el que va de último. Aún no existe entre nosotros suficiente conciencia, parece que ni entre los mismos que hacen las estadísticas, de cuán engañoso puede ser analizar un problema cualquiera de nuestra sociedad, sin tomar en consideración el color de la piel.

Cuando se hacen estudios específicos, el problema se manifiesta y está siempre presente en la vida común. En el nivel de la vivienda, el empleo, el nivel del ingreso, si recibes remesas o no, nivel educacional, hasta en el fenómeno de la muerte, en todo eso está presente. Esas diferencias existen y es una diferenciación que el color de la piel las tipifica, por una razón muy simple: el estatus social que se afincó y trasladó de generación en generación, a partir de la esclavitud del negro, es un fenómeno social que se arrastra hasta hoy, lo que pasa es que en los estudios de la esclavitud, salvo honrosas excepciones, nos hemos quedado en el siglo XIX y no hemos visto realmente las consecuencias de ese fenómeno para el siglo xx y lo que va del xxi.

Las consecuencias de la esclavitud están aquí todavía, después de 50 años de Revolución. En La Habana antes de 1959 existían unos 800 solares y ahora hay más de 2000. ¿Por qué razón? porque el problema es que hacia La Habana ha tenido lugar una afluencia de emigrados que son mayoritariamente de la región oriental, negros y mestizos por lo general, que se trasladan para la capital, a vivir en lo que encuentren. Lo que nos llevaría a tratar de profundizar entonces en cómo es el problema en las provincias.

Eso quiere decir que hay un fenómeno a depurar al caracterizar nuestra población y que solo se puede hacer por separado, construyendo separatas estadísticas, en las que se tome en consideración la variable color de la piel: comparándolo con la vivienda, el empleo, remesas, ingresos, actitud ante la salud, violencia familiar, etc. En todo hay que tener en cuenta el color. Pero como entre nosotros existe la tendencia a la mezcla, olvidamos el color; aunque, mientras más grande es la muestra más se ve que los negros están abajo, los mulatos en el medio y los blancos arriba. Esa estructura sociodemográfica no ha podido ser superada aún en nuestro país.

¿Usted propone una política específica para la población negra?

Esa política existe. En Cuba tenemos una cierta política de "acción afirmativa", en Cuba la aplicamos, pero no la llamamos así. A partir de investigar a fondo la situación de la familia, los problemas de los niños, los discapacitados, y otros grupos sociales, llegamos en la práctica a hacer acciones afirmativas, con las personas históricamente menos beneficiadas, más afectadas. Dentro de las cuales, la mayoría son negros y mestizos. Seguimos atendiendo la pobreza, pero se presta una atención especial a los que en peores condiciones están y dentro de ellos, a negros y mestizos.

¿Entonces, el sector negro de la población está entre los vulnerables?

Los negros son los más vulnerables. Si se parte de la base de una situación de empleo entre un negro y un blanco, en iguales condiciones de idoneidad, el negro debe tener prioridad. Raúl Castro dijo que fue un error el problema de las cuotas, esa no es una acción afirmativa, no es la forma de resolver el problema. En Estados Unidos se fijan porcentajes en las universidades, para negros y otras minorías, pero no es la forma adecuada para Cuba. La fórmula de acción afirmativa que nosotros aplicamos es la de los trabajadores sociales, se les prepara y da empleo, una vez terminada su capacitación. En la Universidad norteamericana entra un porcentaje de negros y de otras minorías previamente fijado. Eso es una forma de discriminación, que algunos llaman racismo al revés y se discute mucho sobre eso en los Estados Unidos. No se trata de decir, usted entra a la Universidad porque es negro, creo que esa no es la forma de resolver el problema para nosotros. El sistema de cuotas no puede ser nuestra variante de solución.

¿Si hasta el propio presidente menciona este problema, por qué no hay un debate más profundo?

El debate está tomando fuerza en el ámbito intelectual, en el ámbito comunitario, en las casas de cultura. En octubre de 2007 se publicó una entrevista que me hicieron en *Alma Máter*, pero no la ve mucha gente, ahora salió otra en el periódico *Trabajadores* y ese lo compra todo el mundo. Se está produciendo y publicando mucho más sobre el tema. La sociedad cubana tiene que tener conciencia de que el racismo es un problema cuya solución depende de todos. Y hay que empezar a atacar muchas aristas, hay que comenzar por la educación, para sembrar la ética antidiscriminatoria en los muchachos desde la escuela; lo que no entra en la escuela, no pasa a la cultura. Además, el debate tiene que ser en la familia, en el centro de trabajo, estar presente en las organizaciones políticas, de masas y sociales del país. Eso es lo que reclamamos.

¿No puede ocurrir lo mismo que sucedió en otras ocasiones, que se piense que debatir este tema puede crear división y ser manipulado en contra de la Revolución?

Al contrario, lo que realmente nos puede dividir y afectar seriamente el nivel de cohesión social y política logrado es no tratar el problema. Lo que está siendo utilizado en las campañas del enemigo es nuestro atraso en traer el tema a discusión. Lo que realmente nos agrede políticamente, tanto desde el punto de vista de la imagen externa como interna, es tener un discurso que no se corresponda con la realidad. Hasta el otro día decíamos que no había problemas raciales en Cuba, eso es absurdo.

Muchos amigos de los Estados Unidos traducen y distribuyen mis artículos y libros para que vean que ese asunto se trata desde hace tiempo en Cuba. Pues de lo contrario, lo que hacen es tomar nuestro discurso sobre el problema racial y convertirlo en un discurso disidente llevándolo al conflicto Cuba-Estados Unidos, tomándolo como un instrumento más de agresión y subversión. En este debate los grupos disidentes no tienen cabida, porque tratan de montar la crítica en una base subversiva y contrarrevolucionaria.

Digo que si no hubiera habido una revolución en Cuba, los negros la hubiéramos tenido que hacer para llegar a donde no pocos hemos llegado. Llevarlo al conflicto social, a la política de la disidencia, tomarlo como un elemento de agresión y subversión, no lo vamos a permitir. Ese es un tema de nuestra realidad, por lo que podemos incluso compartirlo con amigos, pero jamás soslayar la responsabilidad de tratarlo nosotros mismos. Porque no podemos permitir que otros hagan nuestra historia por nosotros, porque quien controla el pasado, controla el presente y te diseña el futuro.

¿Es decir que en este debate no tienen cabida los sectores disidentes?

En Cuba los sectores disidentes no tienen cabida en este debate porque lo montan sobre una base contrarrevolucionaria. Si este país ha llegado adonde ha llegado con el tema racial es porque hay una Revolución y hubiéramos llegado aún más lejos si no nos hubiéramos retrasado en tratar el tema. Lo que sí nos divide ahora, en esta época, es no tratar el problema, que hace sufrir a mucha gente, no solo negros sino también blancos, porque la Revolución ha logrado, a pesar de todo, sembrar una ética antidiscriminatoria.

Es absurdo hablar de una cultura general e integral, dentro de una sociedad en que todavía se discrimine por el color de la piel. De qué verdadera democracia incluso podemos hablar si se discrimina; la igualdad no puede ser absoluta, pero las posibilidades sociales de alcanzarla sí tienen que ser iguales para todos. La Revolución le ha brindado oportunidades al negro y mestizo, pero por los puntos de partida históricos, los errores cometidos y las imperfecciones actuales de nuestra sociedad, y la desatención del tema racial, no pocas veces no las ha logrado alcanzar.

¿Cree usted que este debate debe formar parte de una agenda política?

Este debate debe ser parte de una agenda política, por supuesto que sí. Por eso hay un grupo de estudios sobre la racialidad, como parte de una comisión del Partido que la dirigió Esteban Lazo muchos meses y hay una comisión permanente en la Unión Nacional de Escritores y Artistas de Cuba (Uneac) para luchar contra el racismo y la discriminación racial. Las dos comisiones existen, la comisión que hace tiempo dirigió el vicepresidente Esteban Lazo dentro del departamento de cultura del Partido Comunista de Cuba (PCC), salió del partido para la Biblioteca Nacional.

Además, existe en la Uneac una comisión permanente de trabajo, que tiene como objetivo principal realizar acciones, debatir el tema y todo ese debate tiene por objetivo convertirse en agenda política. Pienso que el hecho de que Raúl Castro haya mencionado el tema el día 20 de diciembre en la Asamblea Nacional, para mí, quiere decir, que este asunto figura entre los temas de la agenda del próximo congreso del PCC. Y si así no se considerara, mi opinión, de todos modos, es que debe estar en la agenda del Congreso.

Hay que divulgar más el tema, eso tiene que ayudar a convertirlo en agenda política e insistimos en que una comisión del parlamento estudie ese tema, está claro que se tiene aún muchos prejuicios con este asunto, pero no tantos como antes. He escrito varios ensayos, un libro y un segundo libro que se va a publicar en Estados Unidos y Venezuela. Hay muchas personas que tienen el libro. En nuestra televisión aún se ve muy poco hablar del tema.

Estamos en un debate "malecón adentro" en realidad. Ese tema en Cuba no estaba siendo tratado como respuesta a nadie. Pero ahora tiende a tomar más fuerza. Por lo que creo que si la intención de los críticos fue perjudicarnos, ha ocurrido todo lo contrario, ahora hay más entusiasmo, porque nuestros críticos lo han tratado de convertir en parte de la lucha política contra la Revolución, y eso ya no es cosa de juegos.

También está muy activa la Cofradía de la negritud, un proyecto comunitario que tiene muy buen enfoque. Recientemente impartí una conferencia en su asamblea de balance y hay que decir que el enfoque es muy bueno y mueve a la comunidad. No está formado por intelectuales, sino por gente de pueblo que le pone un tono muy fresco y directo al tema. No obstante, un grupo de intelectuales también estamos participando.

En estas comisiones de la Uneac y la del Partido, que pasó a la Biblioteca Nacional hay blancos y negros, y se circunscribe a personas que trabajan el tema o son especialistas; ambas comisiones son de intelectuales, mientras el proyecto de la Cofradía no es de intelectuales, aunque estos últimos participan, pero la mayoría son gente de pueblo, que trabaja en el barrio. Trabajan mucho en crear conciencia y han realizado debates barriales en torno al documental *Raza*, del joven cineasta cubano Eric Corvalán.

Ese material se ha exhibido también en Estados Unidos y otros países. Otro elemento interesante es que lo que escribimos se está publicando. Recientemente salió a circulación una antología de artículos sobre raza y racismo, producida por el Centro Martin Luther King, coordinada por Esther Pérez y Marcel Lueiro. En la Feria Internacional del Libro realizada en febrero de este año en La Habana, hubo varias presentaciones, inclusive un panel que fue muy exitoso. El tema avanza con fuerza. Y avanzará aún más cada día.

Soy partidario del debate constructivo, creador*

*Heriberto Feraudy Espino***

¿Por qué se habla tanto de racismo aquí ahora?

Nunca se ha dejado de hablar. Permíteme contarte algo. Fue a finales del año 1998 cuando encontrándome de paso por la Fundación Fernando Ortiz, Miguel Barnet, presidente de esa institución, me solicitó que invitara a varios amigos míos negros y mulatos para que participaran en un Taller que, sobre el racismo y la discriminación racial en Cuba, se estaba organizando. Te confieso que cuando escuché aquello quedé atónito ¿racismo y discriminación racial en Cuba?, mayor fue mi turbación cuando Miguel me dijo que la idea era de Abel, pues Fidel estaba interesado en conocer qué se pensaba sobre ese asunto. Todo lo que se iba a discutir en el referido taller se grabaría para la correspondiente información.

En dicho debate participaron importantes artistas y escritores y uno de los aspectos más destacados fue las manifestaciones racistas y discriminatorias que se observaban en el sector del turismo y en los medios. Hubo quienes se asombraron de que estuviéramos finalizando el siglo XX y aún se estuviera

* Entrevista realizada por Rosa María de Lahaye Guerra en noviembre de 2011. Publicada en el sitio Cubadebate.

** Escritor e investigador. Licenciado en Ciencias Políticas. Ha sido embajador de Cuba en países como Zambia, Botsuana, Nigeria, Mozambique y Lesotho. Actualmente preside la Comisión José Antonio Aponte de la Uneac.

discutiendo sobre el "problema negro" en Cuba. Allí quedó de manifiesto cómo el fenómeno de la discriminación racial estaba vivito y coleando. Visible para unos, invisible para muchos, reinando bajo el imperio del silencio.

El caso es que pocos días después de este evento, que tuvo lugar en la sede de la Fundación Fernando Ortiz, se efectuó VI Congreso de la Uneac. Fue aquí en este congreso donde el propio jefe de la Revolución dio pie para romper el silencio y actuar con medidas prácticas que él personalmente inició. Sucedió, que las propias palabras y el profundo y constructivo análisis de Fidel sobre la persistencia de la discriminación racial y los prejuicios raciales en nuestra sociedad, a pesar de todo cuanto se había realizado, fueron silenciados por los medios, o por quien sabe, pero ya la señal estaba dada y fue entonces que en el marco de la Uneac comenzó a debatirse el tema, hasta llegar al punto de tu pregunta.

Cierto es, que se ha debatido bastante, pero ¿y los avances?

Se dieron algunos pasos, no solo la Uneac, surgieron otras voces, otras existían desde antes, se crearon varios espacios, pero no lo suficiente. Es una nueva batalla contra todos los demonios. El racismo antinegro no duerme y tiene veinte mil tentáculos. El General Presidente, siguiendo la denominación de Eusebio, ha calificado como una vergüenza el insuficiente avance en esta materia después de cincuenta años de Revolución y ha hecho un llamado a tomar conciencia sobre el asunto. Pero quieres que te diga algo, Raúl podrá contar con centenares de generales contra el imperio, pero para esta batalla contra la discriminación cuenta con muy pocos, no digo generales, ni siquiera capitanes. Aún falta voluntad en mucha gente con poder. Algunos te dicen que es verdad que existe el fenómeno, pero..., siempre aparece un pero.

Todavía, diariamente, las insuficiencias aparecen en los medios de comunicación, en las escuelas, en la enseñanza, en centros laborales privilegiados, en las llamadas relaciones de poder, en las relaciones familiares e interpersonales. Para mí lo peor está en la mente, es ahí donde hay que librar lo más difícil de las batallas; en el cambio de las mentalidades. El problema no es de color, es de actitud. En mis primeros años de universitario me espanté al escuchar a un profesor afirmar que un clásico del marxismo había postulado que era más fácil tomar el poder que cambiar la conciencia de los hombres ¡Imagínate! el triunfo de la Revolución nos había costado más de veinte mil mártires. ¿Cómo decirme que veinte mil mártires era más fácil que cambiar la conciencia? Los clásicos no se equivocaron.

Algo se ha avanzado en lo referente a la composición étnica en el Partido y el Estado, Raúl ha insistido mucho en esto, pero te confieso que esto no resuelve el problema, es un paso, pero corto. Hay que trabajar cada vez más por dar pasos más largos, por que cada vez más nos asumamos como somos y no como parecemos, por ahí andan algunos datos del Centro Nacional de Genética, que contribuyen a entender más claramente esto que te digo. No se trata solo de que "aquí el que no tiene de congo tiene de lukumí", es algo más que eso.

No sabes cuánto me satisface cuando en tu pregunta afirmas: se ha debatido bastante. Yo recuerdo que en aquel Taller del cual te hablé, Rogelio (Martínez Furé) al intervenir después de moyugbar a los Eggun expresó: "concluyó el siglo XVIII discutiéndose acerca del problema negro en Cuba, finalizó el siglo XIX y todavía se estaba discutiendo sobre el llamado problema negro, ahora estamos a punto de terminar el siglo XX y aún continuamos discutiendo sobre esta problemática". Yo me pregunto: ¿terminaremos el XXI con lo mismo?

¿Entonces el debate es un arma insuficiente? Abrir espacios de debate consiente a los implicados, solo eso. ¿Tiene alguna idea, alguna propuesta, de cómo operar un vuelco y atrapar todos esos "tentáculos" de los que me habla?

Soy de los que hace cierto rechazo a lo que yo llamo la "cultura del lepe lepe", "cultura del pataleo". Soy partidario del debate, pero el debate constructivo, creador. Martínez Heredia ha llegado a afirmar que sin debate no hay socialismo. Se trata de un debate participativo, de donde surjan propuestas y aportaciones creativas, para poder avanzar en lo que nos falta respecto a este tema, teniendo en cuenta que estamos viviendo un momento decisivo de nuestra historia en el cual resulta de vida o muerte ir sacando a flote todas nuestras debilidades e insuficiencias con el fin de eliminarlas definitivamente y así ir perfeccionando el proyecto socialista que deseamos.

Hay quienes lo resumen todo con el ajiaco, pienso que la definición de lo cubano va más allá de eso, como la definición de la identidad individualidad va más allá del color de la piel. El debate, en mi opinión, es necesario como medio de información, de instrucción, de educación, como instrumento que contribuya a la construcción de qué somos, de quiénes somos, de dónde venimos y hacia donde vamos, pero oye, para mí lo más importante es la acción aun cuando se diga que el debate también es una acción.

¿De cómo operar el vuelco y atrapar los "tentáculos?

Debemos fomentar las acciones y la concientización antirracistas en los ámbitos más diversos de la sociedad, sin esperar todo de la acción y las directivas del Estado, debemos presionar, lograr que actúen juntos los que en el Estado y la sociedad estén dispuestos a hacerlo, debemos considerar este problema como lo que es, un campo de lucha en sí mismo y un campo de lucha en la pugna cultural tremenda entre el socialismo y el capitalismo que se está ventilando en nuestra patria.

Se impone ser antirracista no solo por hacerle justicia a los herederos de la esclavitud sino también por la propia defensa y profundización del socialismo.

Reclamar la elaboración de una estrategia dirigida a extirpar este tumor maligno de nuestra sociedad. Una estrategia que involucre a las instituciones del Estado, del gobierno y de la sociedad civil, a nuestro sistema de educación, a la familia, la comunidad, los medios de comunicación, en fin a la sociedad toda. Para ello deberán crearse mecanismos que contribuyan a la instrumentación de políticas diseñadas a tales efectos. Al igual que hoy están diseñadas políticas contra la homofobia, por la igualdad de género, de sexo, religiosidad, etc., también deben elaborarse y ponerse en práctica acciones muy concretas contra este tipo de desigualdad, tradicionalmente una de las más humillantes del género humano.

Impreso en la UEB Gráfica de Holguín, ARGRAF
Tirada 4 000 ejemplares
Octubre de 2015